나는 가장 슬픈 순간에
사랑을 생각한다

행복을 말하기
힘든 삶일지라도
계속 살아갈 이유가 되는 것들

— 새벽부터

나는 가장 슬픈 순간에
사랑을 생각한다

WATER BEAR PRESS

차 례

경비원 근무 3년이 지났다.

2년은 아파트에서 근무했고 지금은 건물의 시설 경비원
으로 근무하고 있다.

경비원 생활을 시작하면서 트위터에 글을 쓰기 시작했다.
내가 마주한 새벽의 풍경과 떠오른 슬픔을 쓰는데 트위터의
익명성은 안성맞춤이었다. 나는 글을 써본 적이 없지만, 내
가 읽었던 세계와 만났던 사람에 대해서 말하고 싶었다.

성공과는 거리가 먼 삶에서 내가 살아오면서 일관되게
유지한 삶은 책을 읽는 것이었다. 4면의 벽을 책으로 채우
고 싶었던 꿈을 꾸었고, 살아오면서 그 꿈을 이루었다. 초
라한 내 삶이 바뀌지는 않았다. 나는 내가 읽었던 모든 세
계의 문을 스스로 열었다. 스승이 없는 근본 없는 독서였지
만, 나름대로는 체계적이었다고 믿고 있다.

50대에 클래식 음악을 듣기 시작했다.

클래식은 나와는 전혀 관계가 없는 세계였는데, 나는 그 미지의 세상이 궁금해 무조건 듣기 시작했고 상상하지 못했던 환희를 만났다. 그것은 새로운 세계였고 때로 음악은 내 슬픔을 다독였다. 영원을 향하는 그리움의 세계를 들었고 그 아름다움의 기억으로 행복한 시간이 많았다.

나는 그 아름다움을 내 언어로 짧게나마 쓰고 싶었다.

살아오면서 혼자서 읽었던 책과 들었던 음악 그리고 바라본 세상을 누구에게 말하지 못했다. 대체로 사람들은 그런 이야기에 관심이 없었고, 나도 그런 사실을 알고 있었다. 아이들이 학교에 다니면서 문학이나 사회, 역사에 관해 이야기를 나눌 수 있었다는 것이 유일한 성과였고 위안이었다.

딱 한 친구가 있기는 했다. 글을 쓰던 친구였는데, 책과 음악 이야기를 나눌 수 있었던 친구는 몇 해 전에 세상을 떠나서 이제는 그나마 그런 이야기는 길을 잃어버렸다.

언제부터인가 읽으면 가슴을 아프게 하는 글을 쓰고 싶었다. 오래도록 누군가의 기억에 남아 때때로 마음을 흔드는 글을 쓰고 싶었다. 내게는 세상과 그런 이야기를 나눌 수 있는 통로가 없어 가득한 슬픔을 누구에게 말하지 못하고 늘 겉돌았다.

다행스럽게도 트위터에 글을 쓰면서 여러 사람과 대화가 가능해졌다. 한쪽에서는 투자와 아파트 가격을 이야기하는

데, 한가하게 삶이 슬프다고 중얼거리는 60대 중반 경비원의 이야기를 많은 사람이 읽어주었다.

읽어주신 분의 격려에 힘입어 세상에 한 권의 책을 선보인다. 깊이 없는 내용에 슬픔이 반복되는 이야기를 또 누가 읽어줄 것인가 두렵다는 말을 쓰지 않을 수 없다. 세상에는 빛나는 사람들의 기록만 필요한 것은 아니라는 위안으로 어쩌면 무모한 용기에 힘을 더한다.

무엇보다도 아내 이야기를 담을 수 있어 행복하다. 게으른 나는 트위터가 아니었다면 아내와 함께 보낸 시간을 단한 줄도 남기지 못했을 것이다.

올해로 결혼 39주년이다. 나는 신혼 시절에 술을 마시고 남은 2,600원을 봉급이라며 아내에게 줬던 철부지였다. 아내는 말없이 봉급 봉투를 받았는데, 혼자서 많이 울었다고 한다. 부끄럽고 책임감 없는 행동을 많이 했다.

내가 늦게 철들어 아무리 아내를 사랑한다고 해도 세월을 되돌리지는 못한다. 아내의 모든 아픔은 내 책임이다. 세월이 나에게 가르쳐 준 지혜는, 행복은 아내와 함께 있을 때 가능한 것이며 내가 상상하는 모든 아름다움은 아내의 마음에 담겨 있다는 것이다.

지금 아내가 아프다. 나는 오래도록 세상의 아름다움을 아내와 함께 바라보고 싶다. 설령 우리가 나눌 것이 슬픔이라 해도 당신이 있는 세상이라면 나는 웃을 수 있다.

도심의 부유한 집안에서 태어나지는 않았지만, 좋은 부모님 아래서 큰 부족함 없이 자랐다. 최소한 학비 걱정은 하지 않아도 되는 환경이었다. 그 시절에는 충분히 좋은 환경이었다. 내가 일찍 스스로 무너진 것은 순전히 내 책임이었다.

아버지는 아래로만 내려가는 아들을 끝없이 사랑하셨고 탓하지 않으셨다. 한때는 자랑이었던 아들의 전락을 안타깝게 지켜보시던 아버지는 내가 넘을 수 없는 거대한 세상이었다. 아주 조금 그런 이야기를 글에 담았다.

생각해 보면 쓸 수 없고 쓰지 못하는 이야기가 많이 있다. 결국은 쓸 수 있는 이야기만을 쓴다.

삶이 지난 자리를 돌아본다. 그동안 글을 읽어주고 책으로 꾸밀 수 있는 용기를 주신 트위터의 친구들에게 감사드린다.

일찍이 책의 출판을 제의하고 분에 넘치는 칭찬으로 앞으로 나갈 힘이 되어 준 워터베어프레스의 관계자 분들께 정중하고 다정한 감사를 드린다.

1

경비원

밤의 경비실에서 내가 지킨 것은
흔들리는 마음이었다.

우울한 일상을 지켜낸 것은

출근의 힘이었다.

밤의 경비실에서 내가 지킨 것은

흔들리는 마음이었다.

아파트 경비원 일을 시작했다. 연금에 여생을 맡기고 유유
자적하기에는 남은 시간이 너무 길고, 돈 많은 사람들도 열
심히 돈을 벌고 있더라. 91세의 아버지는 오늘도 지게를 지
고 산을 오르며 전기톱으로 고목을 벤다. 겨우 35년 근무가
뭐 얼마나 대단하다고 잠깐이지만 나태했었다.

눈 쓸기와 청소를 마치고 아파트 상가 편의점에서 커피를
주문하니 일하는 여성분이 오늘은 자기가 사드리고 싶다
면서 결제를 못 하게 한다. 지금 그 커피를 마시며 봄을 예
감한다.

경비원 월급날, 평생 25일이 월급날이다. 수령액 2,034,000원, 의료보험도 해결되고 참 좋다. 현직에 있을 때 월급날 행복했는지 기억이 안 나는데 경비원 월급날은 참 행복하다. 아내에게 100만 원 송금하고 쉬는 날이라 나가서 함께 맛있는 점심을 먹었다.

아파트 경비원의 3대 과제는 제설 작업, 제초와 전지 작업, 낙엽 쓸기인데 봄비가 그치면 세상 모든 풀과의 불화가 시작될 것이다.

아파트에 목련과 벚꽃을 심은 사람을 원망한다. 군대에서 눈을 하늘에서 내리는 쓰레기라 했는데 지금 내 심정이 꼭 그렇다. 그래도 오늘은 월급날이다. 또 이렇게 경비원의 한 달이 간다. 잘 버텨준 나를 칭찬한다.

2021-05-15

나무가 이렇게 창조적으로 쓰레기를 만들어내는 것을 경비원 하기 전에는 몰랐다. 특히 소나무는 끝없이 쓰레기를 뿌린다. 큰 나무는 숲에 있어야만 하는 거라는 강한 믿음을 갖게 되었다. 비가 내리면 나무 쓰레기도 함께 내린다.

아파트 경비실에 근무하면서 늘 하는 생각. 무엇이 그렇게 급해서 밤새 택배를 배달하는가. 좀 천천히 가면 안 될까. 그래도 우리는 충분히 빠른데. 이렇게 계속 앞으로만 달리다 말 것인가. 새벽에 쿠팡 차량을 보면 마음이 삭막해진다. 속도에 많은 것을 걸어버린 세상이 무섭고 두렵다.

아침에 경비실 앞에 서 있는데 가끔 마주치는 초등 4학년 여자아이가 '아저씨 큰일 났어요. 내일만 지나면 방학이 끝이에요. 그런데 제가 담임선생님 얼굴을 잊어버려서 그나마 다행이에요' 그리고는 '다음에 봬요' 인사를 남기고 간다. 그렇게도 아이를 밝게 키운 부모는 얼마나 훌륭한 사람일까.

오늘은 경비원 월급날이고 연금 받는 날인데 입주민의 폐기물 처리 도와주고 2만 원 받았다. 월급과 연금보다 2만 원이 더 커 보인다. 2만 원으로 뭘 할까 생각하니 행복하다.

경비원 1일 근무하면서 걷는 거리가 15,000보, 움직이려고 일부러 걷는 거리도 조금은 포함되어 있지만 생각보다 많이 걷는다. 경비원으로 근무하면서 불편했던 허리와 어깨 등 아픈 곳이 없어진 것은 확실하다. 운동과는 또 다른 게 있는가 싶다. 움직여야 산다.

차가운 바람이 부는 밤을 아파트 경비실에서 클래식 음악을 들으며 보낸다. 따뜻한 히터가 이제 겨울이 가까워지고 있다고 말한다. 이곳 경비실의 밤은 늘 평온하다. 찾는 사람이 없다. 밤에는 음악을 들으며 무언가를 읽는다. 오늘은 나주 배 세 개를 선물로 받았다.

경비원 근무하는 날은 거의 무언가를 선물로 받는다. 오늘은 폐기물 운반을 도와줬더니 젊은 친구가 감사하다며 사온 커피를, 조금 전에는 근무하시는 것 같아 사왔다며 입주자께서 두유를 선물하신다. 경비실의 하루가 간다.

낙엽을 쓸고 있는데 아파트에서 가장 연세가 많으실 것으로 보이는 할머니께서 예쁜 낙엽 밟으며 걷게 쓸지 말고 놔두면 안 되냐고 그러신다. 할머니의 뒷모습을 한참 동안 바라봤다. 할머니의 가을은 참 아름답구나.

1,500원짜리 편의점 커피를 마시며 또 경비원의 하루를 시작한다. 아파트 경비원에게 가장 중요한 일은 교대 파트너를 잘 만나는 것이다. 앞사람이 남겨둔 일은 온전히 뒷사람의 몫이 된다. 그런 면에서 나는 행복한 사람이다. 부지런한 파트너에게 감사드린다.

달이 뜨고 나서야 경비원의 낙엽 쓸기가 끝났다. 하루 종일 낙엽을 쓸었다. 경비원이라는 명칭은 그럴듯한데 오늘 하루 경비원으로서 한 일은 없다. 24시간 근무가 허용되는 근로기준법상 경비 근무 근로자라는 명분으로 세상 모든 일을 다한다. 너 아니어도 할 사람은 많다는 것이 유일한 이유다.

새벽 5시 40분쯤 출근하면 아파트 단지를 둘러본다. 음식물 처리장에는 잡초가 담긴 일반 봉투가 놓여 있고 분리수거장 바닥에는 기름이 넓게 번져 있다. 모두 경비원의 책임이다. 내 집에서 밖으로만 내놓으면 경비원이 처리해야 한다. 대충 정리하고 커피를 마시며 미명의 어둠을 바라본다.

강풍을 동반한 비가 내려 낙엽 정리가 대충은 끝났다. 언제 끝날까, 아득해 보였는데 세상일은 다 순서가 있는가 보다. 앞 근무자의 수고 덕분에 조금은 여유로운 마음으로 커피를 마신다. 이제 경비원 앞에는 눈이 기다리고 있다.

25일은 경비원 봉급날이다. 12개월 변함없이 수령액 2,034,870원이다. 11월은 낙엽 쓰느라 바빠 시간이 더 빨리 지나갔다. 출근하면 24시간을 머물러야 하는데 지루하다는 느낌은 없다. 움직이고, 읽고, 듣다 보면 하루가 간다. 이곳에 있으면 버려지는 시간이 없다. 오늘도 그렇게 보냈다.

경비원에게 겨울은 눈만 내리지 않으면 가장 좋은 계절이다. 뽑아야 할 풀도, 쓸어야 할 낙엽도 없는 겨울이라 책을 읽고 음악을 들을 수 있는 시간이 많이 주어진다. 오늘도 시간을 아껴 책을 읽었다. 경비원의 독서라니 어울리지 않지만, 단순한 업무가 독서에 큰 도움이 된다. 움직이고 듣고 읽었다.

경비원을 하다 보면 이해하기 어려운 상황을 만난다. 오늘은 음식물 쓰레기통에 깨진 그릇 두 뭉치와 일반 쓰레기를 버린 것을 봤다. 꺼내서 처리했다. 처음에는 화가 났지만 경비원은 잘못된 것을 정리하고 청소하는 사람이니 잘잘못을 판단하지 않고 열심히 치우기로 했다. 마음이 편해졌다.

아파트 경비원은 퇴근해도 업무가 떠오르는 사무실 근무와 달리 퇴근하는 순간 머리가 맑아진다. 근무하는 동안은 받아들이기 어려운 황당한 일들을 겪기도 하지만 일이 끝나면 초기화가 된다. 출근 스트레스도 거의 없다. 그건 전 직장에서 일정한 과정을 마쳤다는 자부심 때문이 아닐까.

25일은 경비원 월급날. 겨울의 추운 새벽을 한 달 견뎌낸 나에게 주는 따뜻한 격려. 작년보다 11만 7천 원 올랐다. 내가 계속해서 일하는 사람으로 이 사회에 참여하고 있다는 것에 작은 긍지를 느끼며 또 새로운 한 달을 살아갈 힘을 얻는다.

해가 빨리 뜨면 경비원 일하기가 좋다. 새벽에 출근해서 해가 뜰 때까지 기다리는 대기 시간이 줄어 아침 청소를 일찌감치 마치고 나만의 시간을 갖는다. 차량 차단기가 없는 아파트라 경비원을 찾는 사람이 거의 없다. 경비실에 방송 설비도 없다. 묵묵히 내 일을 하면 되는 곳이다. 움직이자.

경비원은 생계형 일자리라고 한다. 상대적으로 진입장벽이 낮고 최저임금이 적용되는 직종이라는 의미일 것이다. 그런데 세상에 생계형 아닌 일자리가 있을까. 많이 받아도 더 많이 받는 사람이 있기 마련인 세상에서 또 하루를 시작하는 출근자는 모두가 생계형은 아닐까. 생계형의 하루가 시작된다.

밖에서 보는 꽃은 아름다운 자연인데 아파트에 피는 꽃은 경비원에게 일거리를 만들어준다. 목련이 만개했고 벚꽃은 이제 피어난다. 경비원과 자연의 불화가 시작되었다. 오늘은 화단의 맥문동을 정리하고 함께 낙엽도 치워야 한다. 모든 삶에는 이유가 있다. 오늘도 살아야 할 이유가 있는 하루다.

휴가와 코로나가 겹쳐 10일 만에 출근했더니 계절이 바뀌어 있다. 평생 일자리처럼 익숙하게 빗자루로 아파트의 아침을 쓸었다. 또 이렇게 살아가는 것이다. 세상의 나무들은 잎이 돋으며 삶의 흔적을 땅에 내려놓는다. 나는 그 생명의 자취를 치우며 자연과의 불화를 시작한다. 그것이 내 삶이다.

비가 내려도 경비원이 챙길 일은 변함이 없어 우산을 쓰고 아파트를 돌았다. 비가 그치면 비설거지까지 포함해서 일이 늘어난다. 사람들이 일터로 향하는 모습을 지켜보며 나도 저런 사람이었다는 것이 믿기지 않는다. 출근해서 컴퓨터를 켜고 커피를 내리던 시간은 꿈이었을 것이다.

아파트에서는 입주자 대표와 동대표가 큰 권력이다. 관리사무소 직원이나 경비원의 일상을 좌우하고 급여를 결정하는 권한도 있다. 내가 관리하는 아파트는 동대표가 모두 공무원 출신인데 어쩌다 마주치면 애쓴다며 깍듯이 인사를 한다. 다른 경비실은 동대표 때문에 힘들어한다. 고맙다.

새벽에 청소를 하고 있는데 청년이 환한 표정으로 "선생님 음료수 드세요. 유통기한 지난 것 아니에요. 방금 편의점에서 샀어요"하며 음료수를 건네준다. 어제 유통기한이 지난 우유를 받았다는 것을 알고 있는 것처럼 말한다. 순간 가슴이 뭉클해졌다. 소중한 마음을 받았다.

후문 경비실에 갔더니 동료가 점심 준비를 하고 있다. 일을 하다 밥할 시간을 놓치기도 해서 미리 해놓는단다. 오늘은 상추쌈을 먹는단다. 점심에 상추쌈을 먹는다는 기대에 동료는 행복해 보였다. 움직여야 산다는 지론을 따라 움직이며 빗자루로 쓸어가는 세상에서 나는 오늘의 행복을 찾는다.

재활용품을 수거해 가는 업체에서 요즈음 새벽에 분리된 캔을 누군가 가져간다고 한다. 수익이 줄었다고 울상이다. 새벽에 깨어보니 분리수거장에서 젊은 여성이 캔을 담고 있다. 큰 비닐봉지에 가득이다. 살기 힘들어 왔단다. 이제 오지 말라고 했더니 고맙다며 캔을 담은 봉지를 들고 갔다.

오전에는 철쭉 가지치기를 했다. 어르신이 애쓴다며 음료수 사 먹으라고 돈 만 원을 주신다. 봉급 받고 하는 일이라며 아무리 사양해도 기어코 주고 가신다. 다음 작업 때 동료들과 간식 대금으로 쓰기로 했다. 오후에는 작업을 거의 안 한다. 그래서 명반의 크로이처 소나타를 듣고 있다. 화려한 오후다.

새벽에 소나기가 내렸다. 요란한 바람이 불었는데 비는 조금 내렸다. 출근하는데 아내가 비바람에 나무가 쏟아낸 일거리가 많을 거라고 걱정을 한다. 부부는 같은 걱정을 하는 사람이다. 그래도 쓸다 보면 끝이 보인다. 몸을 부지런히 움직여 하는 일이 나에게는 위안이 된다. 돈 받고 하는 운동이다.

경비원 생활에서 두 번째 6월을 맞으니 작년보다는 한결 마음이 편하다. 이제는 6월에 무슨 일을 해야 하는지를 알고 있다. 가끔 상식을 초월하는 일이 일어나지만, 대처하는 방법도 많이 늘어나서 잘 버티고 있다. 그래도 사소한 마음의 상처는 오래간다. 봉급 받고 세상과 만나는 대가라고 여긴다.

마음이 힘겨우면 빗자루 들고 나가서 쓴다. 쓸 것이 있어도 쓰고 없어도 쓴다. 아파트를 앞뒤로 한 바퀴 돌고 지하 주차장까지 거치면 한 시간이 지난다. 오늘은 많이 걸었다. 말할 수 없는 아픔이 더 많은 것이 삶이다. 내가 터득한 생존의 진리는 움직여야 산다는 것이다. 경비원 하기를 잘했다.

하루치 땀의 정량이 있다면 나는 아침에 그 땀을 다 흘렸다. 다양한 생각들이 모여 사는 아파트에는 그만큼의 일거리가 늘 경비원을 기다리고 있다. 단 한 번도 공동생활의 규칙을 어기지 않는 사람도 있고 부탁을 해도 다음 날 보란듯이 편하게 세상 살아가는 사람도 있다. 그것이 그들의 공정이다.

아파트 리모델링의 폐기물 버린다고 청년이 경비실에 찾아왔다. 처리장에서 함께 물건을 내리며 물어보니 타일 전문이란다. 좋은 기술을 갖고 있는 훌륭한 젊은이라고 칭찬을 해줬다. 인상도 부드럽고 단정하다. 꼭 성공하라고 말했는데 사람을 대하는 태도에서 그는 이미 성공한 사람으로 보였다.

경비실에서 여러 가지 선물을 받는데 요즘은 농산물이 많다. 며칠 전에는 큰 비닐봉지에 묵직하게 담긴 상추를 받았는데 "다 못 드시면 주위에 선물하세요" 그러면서 주셨다. 세상 물정 모르고 받았는데 알고 보니 그게 아니었다. 다음 날 만나서 귀한 상추 맛있게 잘 먹고 있다고 정중히 인사드렸다.

아파트 주차장에 이중 주차된 차량을 밀다가 사고가 발생하면 차량을 밀었던 사람이 80%, 차주가 20%의 비율로 책임을 부담한다는 것을 오늘 처음 알았다. 실외 주차장은 언뜻 보면 평지처럼 보이지만 약간의 경사가 있는 곳이 있다. 밀다 보면 차량이 굴러가기도 한다. 빼 달라고 전화를 해야 한다고.

어제 비가 내려서 오늘 아침에는 청소하는데 시간이 좀 더 걸렸다. 청소하면서 입주자들과 인사를 나눈다. 일하면서 나누는 인사는 의례적인 반복을 넘어 각별하다. 아내가 내게 용기 있는 사람이라고 한다. 다른 사람은 용기가 없어서 못 하는 일을 당신은 한다고. 아내의 칭찬에 힘을 얻는다.

아파트 경비원은 관리하는 공간을 공유한다. 내가 안 하면 동료가 해야 한다. 다들 자기가 더 많이 한다고 생각한다. 그래서 화단 관리와 제초 작업은 구역을 나누어 담당한다. 동료가 내 구역의 화단을 깔끔하게 정리해 놓았다. 따뜻한 신뢰를 느낀다. 나는 동료가 관심을 두지 않는 일거리를 챙긴다.

어제가 중복이었다고 동대표들이 점심에 삼계탕을 샀다. 내가 근무하는 아파트의 동대표들은 공무원 퇴직자가 많은데, 경비원에 대해 우호적이다. 간섭을 하지 않는다. 경비원을 대하는 부정적인 사례를 들으면 내 자리가 고맙게 느껴진다. 아내가 외우는 주문처럼 나는 운이 좋은 사람이다.

태풍 소식에 경비원은 바쁘다. 아파트 계단 창문을 일제히 닫고 열지 말라고 방송을 해도 올려다보면 또 열려 있는 창문이 있다. 태풍 소식도, 방송도 그들에게는 남의 일이다. 빗물이 들어오면 관리실에 전화 한 통화로 해결되는 일인 것이다. 오늘 몇 번 창문을 닫아야 태풍이 지나갈까.

경비원의 명절이 시작되었다. 아파트 단지에는 차량을 이동하라는 방송이 계속되고 있다. 분리수거장과 음식물 처리장을 수시로 정리하고 주차 안내를 하며 경비원은 명절맞이로 바쁘다. 자신을 밝히지 않은 입주자께서 포도 선물을 놓고 가셨다. 오늘은 더 움직이고 더 밝게 하루를 보낼 것이다.

어제 아파트에서 동년배와 대화를 나눴는데 퇴직하고 일하다 "더러워서" 그만뒀단다. 퇴직 동료들도 경비로 들어갔다가 1년을 채우고 같은 이유로 때려치웠단다. 오늘 새벽에 보니 운동을 나가고 있었다. 하루가 얼마나 길고 지루할까 순전히 혼자만의 생각을 했다. 어쨌든 나는 잘 버티고 있다.

장애인 주차 구역에 일반 차량이 주차하면 과태료 10만 원, 장애인 주차 구역을 막아 주차를 방해하면 과태료 50만 원이다. 장애인 구역 앞에 습관적으로 이중 주차한 차량에 그런 내용을 써서 올려 놓았더니 다시는 주차하지 않는다. 상식에 호소하면 답이 없고 돈으로 설명하면 효과가 바로 나타난다.

경비원 일에는 묘한 중독성이 있다. 휴게실에서 잠자고 일어나 새벽의 어둠을 만나면 또 근무가 끝났구나 하는 안도감을 느낀다. 퇴근해서 식사와 샤워를 마치고 서재의 소파에 앉아 음악을 들으면 온전히 주어진 하루에 설렌다. 35년 근무한 직장과는 다른 단순함이 좋다. 내일 근무가 싫지 않다.

봉급날이다. 214만 원을 받았다. 한 달 동안 세상과 만난 결과물이다. 돈과 관련된 일을 하면서 부자를 여럿 만났지만 너그러운 부자를 만나지는 못했다. 다들 작은 돈에 밝은 사람들이었다. 신기하게도 그들이 부럽지는 않았다. 내 삶은 경비실에서 균형을 찾는다.

주차 금지 구역에 주차하면 아침 일찍 차를 빼야 하는 데 전혀 아니다. 민원이 있어 전화를 하면 일찍 전화했다고 화를 낸다. 주말이면 계속 놔둔다. 공통점은 다들 당당하다는 것이다. 오늘 아침에 젊은 여성분이 금지 구역에서 일찍 차를 이동하며 죄송하다고 인사를 한다. 하루의 시작이 좋다.

격일제 근무하는 경비원의 좋은 점은 언제나 근무 다음 날은 쉰다는 데 있다. 단점은 쉬는 다음 날은 근무하는 날이라는 것이다. 새벽 5시 40분에 교대하면 일찍 하루를 시작하는 사람들과 인사를 나눈다. 마음 따뜻한 격려를 주고받는다. 가로등 아래서 그런 마음들이 또 하나의 불빛을 만든다. 고맙다.

면전에서 인사를 하는데 쳐다보지도 않는 사람의 마음은 어떤 것일까. 어떤 자신감이 그런 태도를 만들었을까. 다시는 인사를 하고 싶지 않은데 잊고는 또 인사를 한다. 오늘 새벽에 처음 만난 사람이 그런다. 그래도 이곳은 안식의 땅이다. 여기에서 몸을 움직이면 시간이 의미를 갖고 흐른다.

성당 새벽 미사 다녀오면서 좋은 하루 보내라고 정답게 인사를 한다. 주차 금지 구역에 잠깐 주차한 운전자가 죄송하다며 차를 뺀다. 청소를 하고 있는데 수고한다며 홍삼 스틱을 주고 간다. 아침 짧은 시간에 세 명의 여성분이 나를 행복하게 했다. 아침이 그렇게 왔다. 삶이 그런 이야기를 만든다.

타인의 아픔은 확률이나 과학의 영역이지만 내 아픔은 운명이 된다. 살아가는 일이 힘에 부치고 삶이 기대를 저버리는 일이 반복되면 운명이 고개를 든다. 감기에 시달리는 아내를 뒤로하고 나선 새벽 출근길에서 운명이라는 서러운 단어를 떠올렸다. 새벽을 지나는 차량의 불빛이 서럽게 정겨웠다.

오전에는 잠잠하다 오후가 되면 어김없이 바람이 강하게 일어난다. 낙엽을 쓰는 일은 바람이 도와주지 않으면 힘겨운 노동이 된다. 오늘은 6시간 정도 낙엽을 쓸었다. 한 달 동안 낙엽을 쓸었는데 이제야 잎이 지기 시작하는 나무도 있다. 갈 길이 멀다. 바람이 멈추기를 기다리는 날이 이어진다.

작년에도 낙엽을 밟고 싶다며 쓸지 말라고 하신 90세 할머니
께서 낙엽을 밟고 싶은데 빨리 쓸어버린다는 말씀을 하신다.
낙엽 밟는 동작을 시연까지 하시는데 영락없는 소녀가 깃들
어 계셨다. 낙엽을 밟고 싶다고 말 한 사람은 할머니가 유일
하다고 말씀드렸더니 곱게 웃으신다. 나도 따라 웃었다.

2022-11-24

아파트 경비원 생활을 묻길래 행복하게 일하고 있다고 했더
니 반신반의한다. 언론이나 책에서 거론되는 내용과 다른 대
답이라 그런 것 같다. 아파트 경비원을 하고 있는 직장 동료
들과 대화하면 웃으면서 좋다고 이야기하는데 사람들은 갑
질에 시달리는 고단한 대답을 예상한다. 할만한 일이다.

일터에 나가지 않아도 되지만 새벽은 나를 깨운다. 나는 새벽에 깨어 있어야 하는 사람이다. 아파트를 떠나오며 마음을 주신 분들께 제대로 인사를 드리지 못했다. 좋은 분들을 만나 삶의 품격과 마음의 여유를 전해 받았다. 내가 삶에 친절해야 하는 이유를 만난 것이다. 나는 운이 좋은 사람이다.

새벽은 늘 내 몫이다. 6시에 운동을 나가는데 그 시간이 더디게 온다. 며칠 있으면 새로운 일터로 출근한다. 변함없이 경비원이지만 전혀 다른 환경이라 마음을 다지고 있다. 나는 새로운 환경에 적응하는 데 시간이 걸리는 사람이다. 낯선 곳에서 새로운 사람들과 만들어갈 이야기를 기다린다.

오늘 새로운 직장으로 첫 출근을 한다. 여전히 경비원이지만 아파트 경비원과는 다른 세상이라 조금은 설레고 그만큼 걱정도 있다. 60이 넘어서도 여전히 삶은 서툴고 더듬거린다. 그러다가 여기까지 온 것이다. 아마도 나는 서툰 채 삶을 지날 것이다. 새로운 새벽을 맞이한다. 아내가 좋아한다.

낯선 곳에서 새벽을 맞이한다. 잠을 제대로 이루지 못했다. 그래도 하룻밤을 보냈으니 이제 정말 시작한 것이다. 초라한 사람의 출발에 주신 따뜻한 격려가 눈물겹다. 세상을 사랑하고 타인의 삶에 관심을 가져야 하는 이유를 만난다. 마음 따뜻한 새벽이다. 이 새벽의 기억으로 삶의 겨울을 난다.

세상일의 절반은 주어진 업무에 있고 나머지는 사람과의 관계를 유지하는 일이라고 생각한다. 다행스럽게도 새로운 일터에서 환영을 받았다. 가끔 옥상에 올라 세상의 새벽과 저녁을 바라본다. 엘리베이터를 타지 않고 계단을 오르내리는 일이 즐거운 운동이 되었다. 또 여기에서 이야기를 만든다.

눈이 많이 내렸다. 경비원은 근무하는 날에 눈이 내리지 않기를 바란다. 어제 오후 늦게 눈이 그치고 나서 밤까지 눈을 쓸었다. 처음에는 길을 내는 정도만 생각했는데 하다 보니 옛 아파트 경비원 실력이 나와 보기 좋을 정도로 눈을 쓸었다. 내가 조금 쓸면 누군가 더 쓸어야 한다. 단순한 이치다.

드디어 수십 개 사무실의 비밀번호를 다 외웠다. 반복되는 손가락의 동작이 남긴 흔적이다. 살아가면서 무엇에 익숙해진다. 그 익숙함은 편안한 것이고 예측 가능하다는 의미일 것이다. 슬픔에 마음을 담고 살아가는 일상에서 그런 익숙함이 위로가 된다. 이제 그 꾸준한 반복을 마치고 돌아간다.

경비원에게 겨울비는 축복이다. 지금 눈이 내리고 있다면 나가서 눈을 쓸어야 하는데 봄비를 닮은 빗소리를 들으며 세상을 따라 젖어간다. 낙엽을 쓰는 일은 선택의 여지가 없는 일이지만 눈은 오직 운의 영역이다. 삶의 한순간 주어진 행운이 잠깐 세상을 사랑하게 한다. 사랑은 선택이 아니었다.

꽃의 계절이 시작되었다. 아파트에서 근무하며 꽃이 피면 반드시 진다는 것을 배웠다. 지는 꽃은 일거리를 만든다는 것도 체험했다. 이제는 마음 편하게 꽃을 바라봐도 되는 데도 마음 한구석에는 그런 기억이 자리하고 있다. 아파트를 보면 뽑아야 할 화단의 잡초와 낙엽을 만들 나무에 눈이 간다.

아침에 퇴근하면서 전에 근무했던 아파트에 들렀더니 벚꽃이 활짝 피어 있었다. 근무할 때는 커 보이던 벚나무가 작은 정원수로 보였다. 나무가 너무 많고 넓다고 생각했던 단지는 청소 거리 없이 단정했다. 구경꾼의 눈에는 그렇게 보였다. 여행지가 아름다운 것은 그곳에 생활이 없기 때문이다.

비가 내리는 밤에 건물 주변을 순찰했다. 4월은 초록을 향하여 깊어지는데 무엇을 향하여 깊어질 수 없는 나는 불빛 아래서 한없이 젖어가는 밤을 한참이나 바라보았다. 경비실은 세상의 바다에 떠 있는 낯선 섬이다. 비가 내리고 바람이 불면 배가 뜨지 않는다. 그러면 섬은 정말 섬이 된다.

월급날이다. 한 달이 지났다는 것을 계절의 변화나 달력이 아니라 통장에 입금된 숫자로 확인한다. 숫자가 아름답다. 4월은 꽃의 계절이 아니라 25일에 월급을 받는 달이다. 5월도 그럴 것이다. 우울한 일상을 지켜낸 것은 출근의 힘이었다. 밤의 경비실에서 내가 지킨 것은 흔들리는 마음이었다.

아침은 하루의 시작이지만 경비실의 아침은 하루의 끝을 의미한다. 경비실에서 단순해진 마음으로 또 복잡한 세상을 만나야 한다. 그래도 이렇게 다른 세상에서 마음을 다스리는 과정은 소중하다. 귀를 막고 입을 닫으며 지난 시간도 분명 있었지만 그래도 잘 보내고 있다. 시작하니 하루가 지나간다.

아파트에서 근무할 때 많은 비가 내리면 계단의 열려 있는 창문을 닫았다. 다 닫고 내려오면 또 누군가가 담배를 피우며 열어 놓는다. 그러면 빗물이 들어왔다는 전화에 올라가 물을 쓸어 담고 바닥을 닦았다. 장마 기간에는 창문을 닫고 또 닫았다. 지금도 어떤 사람이 그 창문을 닫고 있을 것이다.

차가운 달이 환한 밤에 경비실에서 또 하루의 세상을 살아 간다. 출근 전에는 쉬었으면 하는 바람도 있지만 막상 사무실에 들어서면 마음이 편안해진다. 무엇을 위해 살아가는 목적 없이 일상을 유지하며 하룻밤을 보내게 된다. 복잡한 생각들이 몸을 움직이면 정리가 되기도 한다. 휴식은 일을 하지 않는 것이 아니라 단순한 동작을 반복하는 시간에 있다. 적어도 오늘 밤은 환한 달빛에 힘입어 몸이 가볍다. 이런 밤도 있다.

새로운 일터로 옮기고 1년이 지났다. 새로운 세계에서 다양한 인연을 만나며 1년을 보냈다. 낮은 곳에서 바라보면 세상의 낮은 곳이 보인다. 나는 원래 낮은 사람이었고 여기에서 다시 삶의 아래를 바라본다. 그것은 가난이나 사회적 지위를 말하는 것이 아니라 마음이 낮아지는 세상을 뜻한다. 내 삶에서 가장 힘들었던 1년을 경비실에서 밤을 바라보며 견뎠다. 어떤 순간에는 피안이었으며 내 마음이 잠시나마 흔들림을 멈췄던 1년의 밤을 기억한다.

오늘은 올해 마지막 봉급날이다. 또 한 달을 보냈다는 격려를 받았다. 아파트에서는 오후에 봉급이 입금되었는데 여기는 부지런한 시스템 덕분에 7시에 들어온다. 근무를 조금 더 했더니 그만큼 숫자가 올라갔다. 사람이 살아가는 곳에는 많은 이야기가 있고 나를 기다리는 천국이 세상에 없다는 것을 잘 알고 있다. 나에게 주어진 소중한 일터와 일할 수 있는 건강에 감사드린다. 그리고 도시락 가방을 건네며 따뜻한 눈빛으로 나를 배웅하는 아내를 생각한다.

순찰을 돌다 제일 위층에서 엘리베이터를 기다리는 마지막 퇴근 직원과 인사를 나눴다. 옥상을 올랐다가 내려와 엘리베이터를 보니 올라와 있다. 직원이 1층에 내리면서 나더러 기다리지 말고 타고 내려가라고 눌러놓고 내린 것이다. 나는 엘리베이터를 타지 않지만, 직원의 배려에 마음이 훈훈해졌다. 서운한 것은 잊고 따뜻한 마음만 기억한다.

올해 마지막 근무를 위해 출근했다. 출근하면 내가 하루를 보낼 책상과 의자를 닦고 사무실을 청소한다. 다른 사람이 청소를 한 것과는 관계없이 내 마음이 머물 곳을 닦는다. 오늘 근무로 경비원 3년을 채운다. 이제 경비원에 대해 풍월을 읊어도 되는 자격을 얻은 것이다. 내가 특별하게 조용한 사람들이 살아가는 곳을 선택해서 근무한 것은 아니다. 나는 다행히 세상에 대한 기대치가 높은 사람이 아니다. 어쩌면 그래서 큰 어려움 없이 3년을 보냈는지도 모른다. 청소를 마치고 마시는 커피와 FM의 3중 협주곡으로 2023년 마지막 근무를 시작한다.

아파트에서 근무할 때 새벽이면 상가 편의점 커피를 마시
곤 했는데 직원분이 가끔 계산을 극구 사양했다. 제가 사
드리고 싶어서요. 내가 살아가는 형편이 더 나은 사람이었
을 것인데 몇 번이나 그런 일이 있었다. 내가 마음의 고마
움을 표시하려고 했을 때 그분이 일을 그만두었다. 오늘
아침 출근길에 편의점에서 커피를 사 들고 나오면서 그분
을 생각했다. 아침에 근무가 끝나면 남편 트럭을 타고 퇴
근하는 모습도 기억에 있다. 내가 세상에 친절해야 하는
이유는 많다.

퇴근하는 직원이 작은 밀감 2개를 주고 밝은 인사를 남겼
다. 세상에는 경비원에게 친절한 사람과 존재 자체를 모르
는 듯 지나는 사람이 있다. 그렇지만 경비원에게 친절해야
하는 이유가 있는 것은 아니다. 나 역시 눈길도 주지 않는
사람들에게 서운하거나 마음이 상하는 일은 없다. 다만 선
물에 담긴 따뜻함을 읽는다. 대부분의 조금 큰 선물은 공식
적이거나 이유가 있는 것들이다.

2

새벽

새벽에 깨어나는 모든 것들은
삶의 간절함을 담고 있다.

•

새벽에 깨어나는 모든 것들은

삶의 간절함을 담고 있다.

밤의 침묵이 만들어낸 슬픔이 엷게 깔리고

어디에도 없을 구원을 향하여

기도를 올리는 시간을 새벽이라고 부른다.

일요일 새벽 6시, 아파트 단지가 고요하다. 커피 한 잔을 앞에 둔 내 마음도 편안하다. 어제는 교대하시는 분이 휴가라 경비실이 비어 있었다. 어제 떨어진 낙엽이 나를 기다리고 있다. 몸을 조금만 더 움직이면 된다. 하루가 시작된다.

새벽의 경비실에서 커피를 마시는 의식을 진행한다. 커피의 향기는 미명의 새벽어둠과 닮아 있다. 커피 향기가 아주 천천히 세상의 어둠을 따라 경비실을 채운다. 출근하면 마음이 편안해진다. 어쩌면 피안의 세상을 향하여 있는지도 모를 자유로움을 느낀다. 경비원의 하루가 시작된다.

짙은 안개가 세상을 덮고 있는 새벽에 아파트 경비실에서
세상을 바라본다. 새벽 4시 20분에 일어나 씻고 아침을 먹
는다. 아내가 차려주는 아침 밥상에는 함께 살아가는 세월
이 담겨있다. 아내의 염려를 힘의 원천으로 삼아 나서는 출
근길, 또 새로운 하루가 열리고 무너지고 일어서는 삶이 시
작된다.

눈이 내렸다. 출근해서 바로 눈을 쓸었다. 눈을 정리하고 새
벽 커피를 마신다. 새벽 출근길에는 작은 설렘이 있다. 경비
일이 얼마나 대단한 일이라고 설렐까 싶지만, 목적을 가지고
움직인다는 것이 충분히 나를 설레게 한다. 일요일이라 음악
을 듣는 시간도 활자를 읽는 시간도 더 주어질 것이다.

아침이 오기전 시간이 가장 어둡고 춥다고 했던가. 경비실
에서 아침을 기다리며 따뜻한 물을 마셨다. 또 한 해를 살
아내야 한다. 선택하고 물러설 수 있는 삶이 아니다. 삶은
아름다운 문장으로 설명되지 않는다. 친구가 내 삶이 '간난
신고'를 지나왔다고 말했다. 지금도 삶이 그렇다고 말하지
않았다.

5시 40분에 경비실 도착해서 아파트 단지를 둘러본 후, 따
뜻한 물을 마시며 아침을 기다리는 이 시간의 고요가 참 좋
다. 아파트 세대의 불빛이 켜지고 또 새로운 세상이 열리는
시간, 살아가는 날의 시름도 눈을 뜬다. 무너지는 마음을
다시 세우며 또 하루를 시작한다.

즐겁고 행복한 아침만 우리에게 오는 것은 아니다. 어쩔 수 없이 의무로 맞이해야 하는 아침도 많이 있다. 오늘 살아내야 하는 삶은 또 어떤 이야기를 담고 있을까. 삶은 끝없는 반복이고 우리는 그 반복이 행복이란 이름으로 계속되기를 소망한다. 오늘도 경비실에서 허망한 꿈으로 삶을 반복한다.

새벽 운동 하는 코스 전원주택에 리트리버가 살고 있는데 겨울에는 집안에서 지내느라 만나지 못했다. 오늘 어두운 새벽에 멀리에서 걷고 있는 나를 알아보고 짖어댄다. 낮은 목책을 사이에 두고 만나 체온을 나누며 한참 동안 이야기를 나눴다. 가족이 아닌 나를 어떻게 기억할까. 마음이 따뜻했다.

우울한 새벽이다. 사람을 지탱하는 힘은 희망이 아니라 의무인지도 모른다는 생각을 해본다. 그래도 경비실에 나와서 몸을 움직이면 견딜 만하다. 불면의 밤을 보내고 또 이렇게 맞이하는 새벽, 고단한 의무의 하루가 시작된다.

경비실 창문에 빗물이 흐른다. 비는 땅을 적시며 내 시름 위에 내린다. 새벽 불빛을 따라 아파트 단지를 돌며 비에 젖은 담배꽁초를 쓸었다. 비바람에 매화꽃이 지고 있었다. 오는 봄과 가는 봄이 봄비를 만나는 새벽에 꽃이 피고 꽃이 지는 풍경을 바라보며 오래된 시름 한 줌을 살며시 내려놓는다.

새벽의 공기가 차갑다. 또 반복되는 하루를 경비실에서 시작한다. 반복을 견디는 힘은 어디에서 오는가. 월급날이 가장 큰 힘을 주고 다음은 살아 움직이며 쓸고 치우는 것. 음악을 듣고 활자를 읽는 것. 나에게 주어진 몫의 걱정을 하는 것. 지루한 것이 오래오래 삶을 이어간다.

새벽 경비실에 출근하면 제일 먼저 커피포트에 물을 끓인다. 따뜻한 물을 마시며 24시간을 보낼 책상을 정리한다. 이른 새벽에 지하 주차장을 빠져나가는 차량을 보며 어떤 삶의 눈물겨움과 엄숙함을 생각한다. 생명은 끝없이 움직이며 또 하루를 만들어 간다. 하찮은 삶은 없다. 살아 있으면 된다.

새벽에 출근해서 청소를 마쳤다. 아침에 갈 곳이 있다는 것은 얼마나 다행스러운 일인가. 경제적인 보상이 주어지는 일을 반복하는 행위가 삶이다. 내세울 것 없는 삶이지만 주어진 삶을 받아들이며 오늘도 아파트를 돌고 또 돈다. 행복해서 사는 것만이 삶은 아닐 것이다. 견디는 것도 삶이다.

밤새 몸살을 앓다가 새벽에 출근해서 또 하루를 살아간다. 꽃피어 있는 찬란한 봄날에 나는 추운 몸을 움츠린다. 그래도 어쩌겠는가. 내가 있어야 할 자리가 있는데. 나오면 어떻게든 하루는 간다. 어찌 보면 하루를 보내는 게 아니라 견디는 것이다. 우리의 많은 삶처럼 오늘 하루 잘 버텨보자.

새벽 5시 20분의 출근길에서 늘 익숙한 삶의 모습과 만난다. 함께 신호대기 하는 현대자동차 통근버스, 언제나 신호를 위반하고 사거리를 통과하는 흰색 아반떼, 위태롭게 폐지를 실은 리어카를 끌고 가는 낡은 오토바이, 인력시장 앞에서 피어나는 담배 연기, 나도 그들과 함께 새벽의 풍경이 된다.

새벽에 깨어 책을 읽었다. 아내는 일하다 마음 다치면 그만두라고 한다. 하지만 언제는 마음을 다치지 않아서 직장을 35년 다녔던가. 나를 기다리는 천국이 세상에 없다는 것을 잘 알고 있다. 마음 편하게 살자고 결정하면 이 사회에서 내 역할이 끝난다. 훌훌 털어버릴 수 있다면 삶이 아니다.

새벽에 출근하면서 피안을 향해가는 느낌을 받는다. 세상의 문제로부터 자유로운 곳, 빗자루와 쓰레받기를 들고 세상을 쓸며 걸으면 마음에 작은 평화가 깃든다. 단순한 동작의 규칙적인 반복이 주는 안도와 함께 정신의 휴식이 찾아온다. 마음의 평화는 고립이 아니라 사람 속에서 움직여야 온다.

이른 새벽에 잠에서 깨어 뒤척이다 일어났다. 경비실에서 따뜻한 물을 마시며 세상이 밝아오기를 기다린다. 새벽 다섯 시의 세상은 새벽과 아침의 경계에 걸쳐 있다. 늘 버리지 못하는 생의 미련과 씨름하는 내 삶을 닮은 시간이다. 일찍 일어나야 할 이유가 있는 사람들과 함께 또 하루를 맞는다.

아침 5시 40분의 경비실에서 토요일을 시작한다. 토요일 이른 아침에도 삶의 이유가 있는 차량들이 아파트를 빠져나간다. 그들과 나는 오월의 아침이 열리는 세상의 비밀을 공유한다. 세상은 어떻게 밝아오며, 바람이 나뭇잎을 지나는 풍경은 어떠한지를. 그리고 경비원은 일어나 빗자루를 든다.

나는 새벽이라는 종교를 믿는다. 새벽에 깨어나는 모든 것들은 삶의 간절함을 담고 있다. 밤의 침묵이 만들어낸 슬픔이 엷게 깔리고 어디에도 없을 구원을 향하여 기도를 올리는 시간을 새벽이라고 부른다. 용서받지 못해 슬픈 삶은 뒤척이던 밤을 떠나 작업화의 끈을 묶고 세상에 발을 디딘다.

내가 믿는 새벽이라는 종교에는 깨어 있어야 하는 의무만 있을 뿐 구원이 없다. 오늘도 새벽에 깨어 아침의 기약이 없는 막막한 어둠 앞에서 분리수거 트럭과 우유배달 승용차, 쿠팡 택배, 신문 배달 오토바이, 밤과 아침을 이어가는 사람들의 엄숙한 움직임을 지켜보며 한 가닥 구원의 희망을 찾는다.

또 고단한 의무의 하루가 시작된다. 나는 서툰 희망보다 내가 받아들이고 견뎌야 하는 의무를 사랑한다. 새벽에 일어나 얼굴을 씻고 따뜻한 물을 마셨다. 경비실에서 맞이하는 새벽과 아침은 언제나 신성하다. 뒤척이며 보낸 밤이 끝났다.

경비원의 잠자는 시간은 23:00-05:00, 내가 근무하는 아파트는 별도의 장소에 휴게실이 있어서 방해받지 않고 잠을 잘 수 있다. 나는 4시 전후해서 일어난다. 새벽 4시는 가장 행복한 시간이다. 근무를 마쳤다는 편안함과 새벽을 맞이하는 설렘이 함께 한다. 새벽의 푸르스름한 빛깔을 사랑한다.

새벽에 깨어 있었던 사람은 비가 내리기 시작한 시간을 안다. 비가 내려 아침으로 향하던 새벽이 조금 더 오래 머문다. 나는 비가 내리는 거리를 지나 돌아갈 것이다. 남편을 기다리는 아내에게 새로운 소식이 되어 우리는 식탁에 앉고 천천히 아침 식사를 하며 사소한 걱정을 함께 나눌 것이다.

새벽을 만났을 때 바람이 나뭇잎을 흔들고 있었다. 비가 내리기 시작했다. 나는 새벽에 깨어 비가 내리는 세상의 증인이 된다. 누구에게라도 전화해서 새벽을 지나는 비가 내린다고 말하고 싶지만, 아무에게도 전화할 수 없는 시간이다. 그리고 비가 내린다는 것은 전화의 이유가 되지 못할 것이다.

새벽 네 시에는 새가 울지 않는다. 나는 적막 가득한 세상을 향하여 눈을 뜨고 오늘 몫의 삶을 만난다. 따뜻한 물을 마시면서 어떤 위로를 받는다. 아무런 자극도 없다는 것은 이미 내 몸이 안고 있는 슬픔과 한 몸이 되었다는 뜻일 것이다. 물 한 잔의 위로에 내 새벽을 맡긴다. 삶이 눈물겹다.

비가 내리기 시작했다. 새벽을 지나는 빗소리를 놓치고 싶지 않아서 음악을 끄고 고요를 택했다. 비는 봉선화꽃잎을 적시고 느티나무를 지나 모과나무 위에서 머문다. 이제 세상의 모든 풀잎과 들판 위에 내린다. 나는 비가 내리는 세상의 나무가 되고 풀잎이 되어 천천히 그리고 깊게 젖어간다.

누구도 새벽의 적막을 깨트리지 않는다. 나는 오래도록 그 적막에 마음을 맡기고 나무를 감싸는 어둠 아래서 새벽의 일부가 된다. 나는 기다림 없는 하루에 익숙하지만 삶은 늘 나를 기다린다. 아내가 나를 기다리고 있을 것이다. 나는 그 사실이 눈물겹다. 아내의 기다림 끝에서 나는 시작한다.

폭우와 어둠을 지나 출근했다. 비는 나무와 도시를 적시다가 마침내 내 마음을 적신다. 나는 젖었다는 이유로 안에서 자라나는 슬픔을 다독인다. 비에 젖은 것들은 조용히 새벽의 침묵을 만든다. 아직 깨어나지 않은 생명들의 새벽 단잠을 지켜보며 나는 아파트 현관의 등을 끈다. 하루를 시작한다.

새벽에 깨어 있는 모든 것들을 사랑한다. 새벽에 일어나 움직이는 모든 사람들의 삶은 경건하다. 가로등 옆 나뭇잎도 새벽에는 꿈을 꾸고 있는 것으로 보인다. 새벽은 아침을 기다리기 위해 존재하지 않는다. 새벽은 어둠을 지나 일찍 새로운 하루를 시작하는 사람들에게 바치는 엄숙한 의식이다.

새벽 출근길에 비가 내렸다. 비가 적시는 세상의 불빛을 따라 나도 하나의 불빛이 되어 길을 지나왔다. 새벽이 길어진다. 오랜만에 내리는 비는 내 슬픔의 한 자락도 담고 있을 것이다. 삶의 기본은 슬픔이고 어쩌다 한 번, 행복이 잠깐 지나간다는 시인의 말을 읽었다. 오늘이 그 잠깐이기를 바란다.

"인생의 본질은 지속적인 슬픔과 고통이고, 기쁨과 행복이라는 향기가 살짝 스쳐 지나가는 것뿐" "향기가 지속되면 냄새다. 지속적인 행복은 없다." "행복한 순간이 찾아왔을 때 그 순간에 그치려고 노력한다." 등단 50년을 채운 정호승 시인의 말이다. 내 슬픔을 위로받고 싶을 때 이 글을 읽겠다.

어둠을 지나 출근하는 새벽에는 설렘과 우울이 반반이다. 동료가 새벽에 일어나 밤새 떨어진 낙엽을 쓸었는지 아파트가 깨끗하다. 어머니의 대학병원 입원이 4개월을 넘겼고, 요양병원에 계시는 아버지를 생각하면 마음이 갈 데가 없다. 삶을 희망으로 살지 않는다. 삶은 그 자체가 희망이기 때문이다.

월요일 새벽의 거리에는 먼 길을 가는 사람들의 분주함이 있다. 신호 대기 중인 차량이 늘어난 월요일 새벽에는 고달픈 삶의 이야기도 길게 줄을 선다. 삶이 복잡해도 사랑은 따뜻한 것이어서 그 사랑에 많은 것을 걸고 새벽의 문을 나섰다. 사랑이라 부르는 것에 이 새벽을 건다. 당신이 그 사랑이다.

새벽은 어김없이 찾아왔고 나는 새벽을 따라 출근해서 어떤 안도감으로 마음을 쓰다듬는다. 밤새 뒤척이며 시간을 확인했던 이유는 약속된 새벽이 있기 때문이었다. 내가 대접받고 빛나는 곳은 아니지만 내 하루를 의탁하고 무너지지 않도록 지탱하는 버팀목이 이곳에 있다. 살아있는 날의 하루다.

새벽은 생각의 시간이다. 저녁이면 음악을 듣고 새벽에는 나를 돌아본다. 대단한 인생이 아니어서 성취의 기억은 보잘 것 없고 아쉬움과 미련의 기억이 대부분이다. 그래도 무사히 지나온 시간에 안도하며 새벽의 어둠에 기대어 삶을 위로한다. 새벽을 여는 누구의 고단한 하루가 무사하기를 바란다.

새벽에 대책 없이 일찍 깨면 막막하다. 밤이 길어 아침은 아득하다. 책을 읽고 음악을 듣는 대책보다는 그냥 새벽에 젖어간다. 시간을 아껴 쓰는 습관에서 조금씩 멀어진다. 치열한 삶에 대한 동경을 버렸다. 시간에 묻어서 흘러가며 내게 주어진 슬픔을 인정한다. 살아가는 순간은 다 슬프다.

새벽에 깨어 있는 것이 불면의 결과가 아니라 하루에 대한 기대와 시작의 과정이기를. 특히 새해 첫날의 새벽은 설렘과 결심으로 아침을 기다리는 간절함이 가득하기를. 마음이 힘든 사람에게 위로의 온기를 전하는 새해가 되기를. 한없이 낮아져 땅 위에 굳건하게 자리하기를. 이 새벽에 기원한다.

설날 새벽의 출근길에 동네 빵집이 불을 밝히고 있었다. 편의점을 제외하고는 유일하게 환한 불빛이 새어 나오는 빵집을 한참 동안 바라보았다. 삶은 그렇게 변함없이 계속되고 그런 삶을 따라 나도 새벽을 지나는 차량에 몸을 실은 채 하나의 불빛으로 새벽의 거리를 지나왔다.

새벽이 막연하다. 아무리 생각해도 경비원 체질이다. 남들은 경비원을 하면서 잠이 부족하다고 하는데, 나는 새벽에 깨어 세상을 지킨다. 퇴근하면 출근을 기다린다. 출근을 기다리는 직장이 있다. 출근하면 공기가 다른 세상을 만난다. 여기에서 마음을 다스려 하루를 시작한다. 새벽의 막연함이 좋다.

새벽에 일어나 날이 밝아오는 세상을 지켜보았다. 짧은 인생이라고 말하지만 사람들의 계획은 영원에 닿아 있다. 세상은 늘 나를 제외하고 흘러갔다. 나는 슬픔의 언저리를 맴돌며 많은 것을 시간에 걸었다. 이 낡은 반복이 계속되리라는 단순한 믿음으로 나를 유지한다. 그것이 나에게 어울린다.

새벽에 일어나 아내와 길을 걸으며 전혀 새롭지 않은 시시한 이야기를 나눈다. 삶은 끝없이 사소한 것이고 늘 보잘것없다. 한 사람이 우주와 같다며 삶을 위대하게 말하지만 내 삶은 하나도 빛나지 않고 시간을 따라 저물어 가며 세상의 바람에 마음을 맡긴다. 오늘도 그러한 날이기를 바란다.

조금은 늦게 일어나도 되는 일요일에도 새벽은 내 몫이다. 지루한 반복을 견디기 힘들다는 것이 경비실을 지키는 이유의 하나지만 반복 아닌 삶이 어디 있을까. 너무나도 당연한 반복이 이어져 생명이 꿈을 꾸고 계절이 순환한다. 나이를 먹는다는 것은 그 지루함을 일상으로 맞이하는 것이다.

새벽의 뒤척임을 뒤로하고 모악산을 택했다. 어둠에서 시작해 오르다 보니 세상이 밝아온다. 나무와 숲이 밤에서 깨어나는 시간을 함께했다. 마침내 길의 끝에 이르고 내려오는 길에는 생각이 많아진다. 그나마 산을 찾을 수 있는 마음에 감사한다. 지금은 이것으로 충분하다고 생각하기로 한다.

새벽에 일어나 산에 올랐을 때 깨어나는 새들의 지저귐을
들었다. 일찍 일어나면 일찍 슬퍼지는 것이다. 세상의 기
억을 지우는 늦잠의 축복을 받지 못한 채 새벽이면 세상
의 슬픔에 눈을 뜬다. 산을 치열하게 오른다고 무엇이 변
하겠는가. 내 몸을 향하여 깊어지는 시간에 흐르는 땀을
닦지 않는다.

새벽에 비가 내렸다. 가늘게 내리는 비는 아무것도 적시
지 못했다. 새벽 주차장은 비어 있었다. 숲에는 안개가 가
득했고 나는 심장이 터지도록, 아니 심장이 터지기를 바
라며 산에 올랐다. 간간이 비가 내렸고 온몸이 땀에 젖었
지만 나는 아무런 위안도 없이 산에서 내려왔다. 세상에
는 위안이 없다.

밤에는 죽음을 생각하고 새벽에 산에 오르면서는 삶을 생각한다. 새벽의 숲이 아침과 만나는 풍경 아래서 삶은 또 세상과 화해를 한다. 산을 맨 먼저 오르는 사람은 산길의 거미줄을 치운다. 겨울산에서 눈 위에 첫 발자국을 남기듯 나는 오늘 내 한숨을 새벽산에 쏟았다. 또 하루를 살아야 한다.

밤새도록 비가 내렸고 나는 깊이 잠들지 못했다. 새벽에도 조금씩 비가 내렸지만 우울을 넘어 산에 올랐다. 비가 내렸지만 더는 젖을 무엇도 없었다. 악천후를 무릅쓰고 산에 올랐다는 것은 자랑이 아니다. 굳건한 두 다리로 안전하게 산에서 내려왔다는 것은 언제나 내 자랑이다. 오늘도 그런 날이다.

새벽 시장에서 배추와 무를 샀다. 배추 세 포기에 8천 원인데 들기에 무겁다. 사과와 단감도 마트의 절반 가격이다. 직거래와 현금 거래의 효과일 것이다. 수술을 앞두고 아내는 바빠졌다. 자기가 집을 비우는 동안의 준비를 한다. 나는 아내를 말리지 않는다. 그러고는 새벽을 걸었다. 찬바람 부는 계절이 거기에 있었다. 평소보다 조금 더 걸었고 슬픔을 들키지 않으려 서로 무슨 이야기를 계속했다.

새벽을 걸었다. 찬 바람이 부는 새벽길에는 운동하는 사람들이 눈에 띄게 줄어들었다. 새벽에 잠들 수 있는 사람들은 얼마나 포근한 시간 속에 있을까 생각했다. 아내가 손주 이야기를 했고 나는 손주를 사랑하는 마음과 당신을 사랑하는 마음이 다르지 않다고 말했다. 다정함과 그리움이 사랑을 말한다. 아무리 더해도 다하지 못하는 것이 사랑이다. 그것은 끝이 없는 것이고 늘 새로운 것이다. 아내는 새벽 시장에서 채소를 잔뜩 샀고 나는 충실한 짐꾼의 역할을 다했다.

어제는 어떤 글도 쓸 수 없었다. 정말 두려운 것은 아무것도 쓰지 못하는 것이다. 두통이 심했고 밤이 되자 우울이 깊어졌다. 일찍 잤다. 세상이 두렵고 슬프면 잠을 잔다. 예전에는 힘들면 잠들지 못했다. 세상에 죽으라는 법은 없는 것인지 견디기 힘들면 잠을 잔다. 잠이 온다는 말이다. 나는 슬픔의 어떤 경지에 도달한 것이라고 스스로 진단하며 웃는다. 근심과 염려는 새벽의 몫이다. 슬픔에게 인사를 건네며 두려운 세상의 하루를 시작한다.

새벽의 빗소리를 듣는다. 그것은 땅 위에 내리며 내 시름과 슬픔의 새벽에 내린다. 그동안 억누르고 있던 슬픔들이 불빛을 따라 길을 가고 있었다. 삶의 어느 순간을 돌아가도 나를 기다리는 것은 애잔하고 그리운 기억들이다. 또 하루를 보냈다는 안도의 시간이 지나고 빗소리를 들으며 깨어난 새벽에 나는 오늘의 슬픔과 만나며 안부를 묻는다. 이렇게 막막하고 아득한 느낌으로 시작되는 새벽을 사랑한다.

새벽에 세상을 만난다는 것은 오늘의 슬픔을 만난다는 뜻
이다. 이제는 새벽에 잠이 깨도 무작정 아침을 기다리지는
않고 뒤척이다 잠깐이라도 다시 잠드는 경우가 많아졌다.
그래도 5시를 전후해서는 일어난다. 송년 모임 한번 없이
연말을 보낸다. 모든 삶은 이어지는 것이어서 잊고 정리할
수 없고 새해에 만나는 하루도 오늘과 다르지 않을 것이다.
다만 익숙해지는 슬픔이 나를 지탱한다. 오늘도 내가 견디
면 되는 그런 날이기를 바란다.

기다리는 새벽은 없었다. 그래도 일어났다. 새벽의 문을 열
었고 길을 걸었다. 누워서 아침을 기다리지 않고 일어나는
사람이었고 움직이는 사람으로 한 해를 보냈다. 축복이 아
니어도 삶은 계속되고 슬픔으로도 삶은 이어진다. 설렘의
기억은 희미하지만 막막함에 익숙한 습관의 힘으로 새벽
과 만났다. 그래도 사랑은 늘 새로웠고 내 새벽을 읽어주는
따뜻한 사람이 있어, 여기에 새롭지 않은 새벽을 쓴다.

2024-01-03

비에 막혀 길을 걸을 수 없는 새벽은 아득하여 한없이 뒤척인다. 비가 그치기를 바라지만, 한편으로는 어둠을 더 깊게 만드는 빗소리에 묻혀 밤의 시간이 길어지기를 바라는 마음도 섞여 있다. 삶은 같은 과정을 겪는 것이고 누구나 비슷하게 살아간다고 우기며 뒤척이는 마음을 다독인다. 세상에는 걱정이 없어 행복하고 감사하다는 사람들과 여러 가지 다른 생각을 하는 사람들이 살아간다. 결국 아침이 올 것이다.

2024-02-20

슬픔과 피로를 버무리면 최고의 수면제가 된다. 오래 잤다. 새벽에 눈을 떴을 때 나를 기다리는 하루가 세상에 없다는 것을 깨닫고는 막막했지만 일어나 우산을 들고 새벽을 걸었다. 삶의 단순함이 그런 막막함과 만나면 또 잠들고 싶다. 밤에는 통장 잔고가 넘치는 느낌으로 잠자리에 들었고 지금은 마이너스 통장을 쓰는 사람의 초조함과 자포자기 비슷한 느낌으로 아침을 맞는다. 나는 결코 오늘을 기다리지 않았다.

오랜만에 하늘은 맑은데 나는 감출 수 없는 슬픔을 쓴다. 감추지 못하는 것은 가난만이 아니다. 오래된 슬픔이 쌓이면 마침내 마음을 지나 얼굴에 모습을 드러낸다. 힘을 내야 한다는 생각은 슬픔의 무게에 눌려 자리를 잃어버린 지 오래다. 희망을 포기하는 것이 절망이 아니라 희망을 갖지 못하는 것이 절망이다. 나이 들어서 만나는 한숨은 초라한 것이고 세상의 모든 아름다움은 내일을 기약하지 못한다. 오늘을 견디는 시간이 참혹하다. 이것이 진정한 내 모습이다.

3

아내

한 사람의 삶은
사랑의 기억이어야 한다.

나는 한 사람의 삶은

사랑의 기억이어야 한다고 믿는다.

사랑하는 사람과 함께 이루는 일치와

함께 견뎠던 슬픔이 모여 삶을 이룬다.

사랑은 일치와 슬픔의 기록이다.

아내의 생일이다. 식당에 가기는 그래서 아내에게 먹고 싶은 거 포장해 온다고 그러니 능이오리백숙이 먹고 싶단다. 왕복 130km의 식당에서 2마리를 포장해서 온 식구가 맛있게 먹었다. 아내와 아이들이 맛있게 먹고 딸이 먼 곳을 다녀오신 아빠는 참 대단하다고 해서 사랑은 노동이라고 했다.

저녁밥을 먹는데 아내가 그런다. 여행 가면 경치 구경보다 좋은 게 뭔지 알아. 구경이 끝나고 밥을 안 해도 된다는 거야. 그래서 여자들은 해외여행을 좋아해. 기간이 길수록 더 좋아. 아무 말 못 하고 밥을 먹었다.

25일 월급날이다. 새벽에 출근하면서 아내에게 당신이 새벽에 일어나 챙겨주고 맛있는 도시락도 싸줘서 오늘 월급을 받는다고, 고맙다고 했더니, 아내의 표정이 밝아지면서 그럼 그 고마움을 숫자로 표현해 주면 안 되겠냐고 그런다. 오늘 월급이 입금되면 전액을 아내에게 보내주기로 마음먹었다.

아내와 시장에 다녀왔다. 도대체 무엇을 하며 살았는지 40대 중반에야 아내와 처음 시장에 갔었다. 그날 아내가 내 손을 잡고 이런 게 행복이라며 좋아하던 모습을 기억한다. 빨리 가자고 재촉하는 나는 좋은 짐꾼은 아니었다. 지금은 묵묵히 잘 따라다닌다. 아내가 많이 발전했단다. 칭찬으로 듣는다.

퇴근하면 5시 50분, 아내가 주차장에서 기다리고 있다. 24시간 만에 만나서 1시간 동안 함께 걷는다. 결혼 37년인데 아내는 늘 설렘을 주는 사람이다. 최고의 대화 상대는 아내라고 믿고 있다. 오늘은 걸으면서 삶이 복잡하던 시절에 다녔던 여행의 기억들을 소환했다. 잘했다고 서로 칭찬했다.

아내와 마트에 갔다가 5만 원에 당첨된 로또복권을 복권만 원어치와 현금 4만 원으로 교환했다. 옆에서 지켜보던 아내가 행운은 나눠야 더 큰 복이 찾아온다며 현금의 분배를 요구해서 엉겁결에 2만 원을 주고 말았다. 아내의 말이 진심이라 믿고 토요일을 기다린다.

도시락을 싸서 다닌다. 과일과 야채를 따로, 반찬도 여러
가지 싸주는 아내의 정성 덕분에 맛있는 점심과 저녁을 먹
었지만 설거지는 하지 않고 가져갔다. 그러다 김칫국물만
흔들어서 가져갔더니 아내가 좋아했다. 다음에는 설거지해
서, 지금은 완전히 말려서 가져간다. 늘 발전하는 사람이라
고 한다.

아침에 아내를 만나 함께 걸으면 24시간 동안의 이야기가
풍성하다. 경비실에서 일어난 일과 작업하며 마셨던 바나
나 우유 이야기, 밤에는 깨지 않고 5시간을 잤다고 했더니
적응이 되었으니 경비원 오랫동안 해도 되겠다고 해서 함
께 웃었다.

주차하는 승용차 운전자의 마스크를 쓴 얼굴이 전 직장 동료 같았다. 운전자는 들어가고 차량에 표시된 전화번호로 전화해 보니, 주말에 가끔 온단다. 마스크와 모자를 쓰니 전혀 몰랐다고, 반갑다며 선물을 가지고 왔다. 아내가 당신은 세상 잘 살아서 여직원에게 선물을 받은 거라고 생각도 못한 칭찬을 한다.

어제가 생일이었다. 아내가 "하늘만큼 사랑해"라고 쓴 봉투에 축하금 20만 원을 넣어 줬다. 아침에 미역국과 잡채도 해주고. 점심은 내가 샀는데 행사가 끝나고, 아내가 자기 생일에도 그렇게 했다면서 아이들에게 받은 돈의 분배를 요구했다. 기억이 희미했지만 후환이 두려워 절반을 줬다. 아깝다.

아내의 통장 잔고를 모른다. 아내도 내 잔고를 모르지만 내가 가난하다는 것은 알고 있다. 아내에게는 얼마간의 수입원이 있다. 아내가 고춧가루 9kg을 미리 주문하고 블루베리 5kg을 구입하라는 지시를 했다. 그런데 돈은 주지 않는다. 달라고 하면 쩨쩨하다고 얼버무린다. 나는 더욱 가난해진다.

"아내와 함께 있을 때 행복한 사람이 정말 행복한 사람이다." 내가 즐겨 쓰는 표현이고 아내님께 여쭸더니 그렇게 생각한단다. 단, 말 그대로 해석하면 안 된다는 단서를 달았다. 서로의 공간을 인정하고 일정한 거리를 유지하는 것이 진정으로 함께 하는 것이라고 믿는다. 거리가 그리움을 만든다.

아내가 유방암 수술을 받기 전 사전 설명을 듣는 자리
에서 항암과 방사선이 끝나면 자궁과 난소 제거 수술을,
3개월 후 뇌종양 수술을 해야 한다는 통보를 받았다. 그
어둡던 밤에 제일 부러웠던 사람은 암 수술을 받는 사람
이었다. 동병상련이 부러움으로 바뀌던 밤, 아내와 나는
울 수도 없었다.

딸에게 말했다. "엄마가 아픈 것은 아빠의 일이야. 아빠가
다 알아서 할 테니 너는 네 생활 잘하고 마음으로 기원해"

8개월 동안 세 번의 수술을 받았다. 전에도 아내는 3회 큰
수술을 받은 적이 있었다. 대학병원 수술실에서 아내를 수
술실에 보내고 울었고 마취에서 깨어나는 아내를 보며 울
었다. 내가 아픈 아내를 보고 울었던 것은 아내에 대한 사
랑의 표현만은 아니었다. 그것은 아내를 제대로 사랑하지
못한 못난 남편의 회한 같은 것이었다.

아내는 많은 위기를 넘기며 삶으로 돌아왔고 지금도 늘 아
프며, 그렇게 잘 살아간다. 그 시절 아내가 감당했을 절망
을 생각하며 혼자서 운다.

아내와 우산을 받고 걸었다. 오늘이 봉급날이라고 했더니 "벌써?" 그런다. "당신은 풍족한 삶을 사는 사람이라 봉급에는 관심이 없나 봐." 아내가 웃는다. 계속해서 비가 내렸고 나무와 숲이 더 많은 비를 머금었다. 남은 빗물은 아래로 흘렀고 우리는 비에 젖은 채 인적이 드문 길을 지나 돌아왔다.

아내에게 결혼 기념 축하금을 보내고 말았다. 서로 안 하기로 했는데 통화하다가 예전에 아들이 사준 음악 감상용 헤드폰 가격을 말했더니 "당신은 그렇게 좋은 선물을 받았다고?" 하며 되묻는다. 뭔가 잘못되었구나 생각하고 내 평화를 위해 쉬운 방법을 선택했다. 확실한 내 돈이 또 줄어들었다.

30대 초반에 만나는 사람의 범위가 넓어지면서 술과 잡기
가 차지하는 시간도 늘어났다. 아내가 했던 말을 기억한다.
이제 책은 읽지 않을 거냐고, 당신은 책을 읽는 사람이고
나는 그런 당신이 좋다고.

2022-07-05

경비실 에어컨의 필터를 청소했다. 청소를 해야 한다는 것
은 알고 있으면서도 기계는 어려운 것으로 생각하고 멀리
하는 사람이라 애써 외면하고 지냈는데 바람이 시원치 않
아서 해봤다. 열어보니 그동안 찬 바람이 나왔다는 사실이
신기하다. 아내에게 자랑했더니 집 에어컨도 청소하라는
지시를 한다.

오후에는 아내와 호숫가 숲길을 걸었다. 칠월의 숲은 절정을 향하여 무성해지고 호수에는 연꽃이 피어나며 또 지고 있었다. 돌아오는 길에 마트에 들렀다. 아내가 아끼면 절약의 미담이 되고 내가 아끼면 쩨쩨한 사람이 되는 아내의 계산법을 따라 아내는 이것저것을 샀고 나는 대범한 사람이 되었다.

근무를 마치고 돌아와 걷는 길에는 세상 사는 걱정이 같은 두 사람이 있다. 부부는 생각이 같은 사람이 아니라 걱정이 같은 사람이다. 오늘 맞이해야 하는 일들이 마음을 누른다. 일어나지 않은 일에 대한 걱정은 안 해도 된다는 말에 애써 마음을 둔다. 아침 6시 10분의 숲은 햇살을 받아 환했다.

아내와 길을 걷는데 허리가 굽은 노부부가 지팡이에 의지해 천천히 길을 건너고 있었다. 예전에는 우리도 저렇게 늙어가자고 했었는데 이제는 아름답게 늙어가는 세상이 없다는 것을 안다. 서로에게 짐이 되거나 한쪽의 일방적인 희생을 바탕으로 늙어가서는 안 된다는, 지킬 수 없는 다짐을 했다.

아내와 점심을 먹으러 가는데 차 안에서 내 지갑을 보더니 만 원권이 없다며 2만 원 달라고 해서 줬다. 점심값은 3만 원, 아까 가져간 2만 원과 자기 카드를 주더니 계산하고 5만 원 지폐를 달라고 했다. 짧은 순간 카드깡까지 생각한 아내는 천재가 분명하다. 그러면 만 원권은 왜 필요하다고 했다는 말인가.

쉬는 날은 거의 밖에서 점심을 먹는다. 오늘은 아내가 컨
디션이 안 좋다고 집에서 먹자고 한다. 간청해서 모시고
나왔더니 맛있다며 잘 먹는다. 그런 모습을 보니 눈물겹
도록 고맙다. 내 기쁨의 중심에는 아내가 있다. 나는 혼자
서 행복할 수 없는 사람이다. 아내와 함께하는 세상이 오
래 이어지기를.

부질없는 가정이지만 과거로 돌아간다면 아내 말을 잘
듣고 아내가 원하는 것을 열심히 하며 아내와 함께 세상
의 아름다움을 느끼는 삶을 살고 싶다. 남보다 잘하는 것
이 중요한 게 아니었다. 아내의 빛나던 시절에 나는 많은
시간을 밖에서 보냈다. 그것이 내 삶에서 가장 안타깝고
후회스럽다.

아내는 건강이 좋지 않은데도 하루 종일 음식 장만하느라 바쁘다. 추석 점심에 다들 불러서 식사를 한단다. 힘든 일이 많아 몸도 마음도 지쳐 있는데 어떤 힘이 아내를 움직이는지 모른다. 내가 사람 노릇하며 살아가는 것의 팔할은 아내 덕분이다. 나는 아내의 남편일 때 가장 행복한 사람이다.

전화를 받는 아내 목소리에 교양과 품격이 담겨있다. 옆에 누가 있다는 것인데 친구들 모임이란다. 평소에는 열이 난다, 허리가 아프다, 기운이 없다가 빠지지 않는데 오늘은 다르다. 오늘 신문에서 읽었다. "사랑은 우연을 영원에다 기록하고 고정하는 것" 알랭 바디유의 말이란다. 그 말을 믿는다.

어제는 본가에 가서 밤을 주웠다. 아내는 차를 타고 가며 어지럽다고 말도 못하게 하더니 막상 산에 가서는 날라다 녔다. 아내의 선전에 힘입어 50kg 정도 주워 왔는데 손질해서 선물 택배를 포장하고는 아직 부족하다고 내일 또 가자고 그런다. 지시 사항을 따라야 하니 내일 점심 약속을 미뤄야겠다.

어떤 상황도 개선의 여지나 해결의 실마리가 보이지 않는다. 희망이 있을까, 아내에게 물었더니 당신은 운이 좋은 사람이니 견뎌보자고 한다. 내 희망의 근거는 아내다. 아내는 당신이라고 말한다. 오늘은 생존을 위해 치우고 쓸었다. 움직임이 나를 지탱한다. 어둠이 또 내일을 불러올 것이다.

아침 일찍 시작해서 오후 3시까지 밤을 주웠다. 정리하고 택배 발송하고 돌아오니 하루가 간다. 150kg 정도 주웠다. 오랜만에 지게를 지고 밤을 날랐다. 아내가 이렇게 살아도 되겠다는 말을 한다. 돌아갈 곳이 있다는 것은 얼마나 다행스럽고 행복한 일인가 오늘 처음으로 그런 생각을 했다.

아내와 병원에 다녀왔다. 유방암 수술 10년 차 정기 검사인데 내가 쉬는 날이라 함께 했다. 아침에 일찍 가서 혈액검사, X-RAY, 초음파를 했다. 10년이 되어 조금은 마음을 놓고 있지만 아직도 결과를 기다리는 시간은 길고 험하다 병원에서 아내를 기다리는 시간을 감사와 고마움으로 채웠다.

정읍 구절초 축제 구경을 갔다. 코스모스 꽃밭을 본 아내가 탄성을 질렀다. 아내가 많이 좋아해서 나도 의무적으로 좋아졌다. 아내가 있어 아름다운 풍경이다. 축제장을 찾으면 먹는 일이 중요함을 잊지 않고 잘 먹었다. 같은 직장에서 근무했던 직원들을 만났는데 손을 잡고 다닌다며 웃는다.

아내의 정기 검사 결과 이상이 없단다. 수술 10년이 되다 보니 일상이 된 느낌이지만 검사 결과를 들으면 고마움에 눈물이 맺힌다. 내 삶에 아내의 건강보다 더 큰 축복은 없다. 아내가 나이 들면서 나는 눈물이 많아지고 자기는 말랐단다. 이제는 당연한 일상이 고맙다. 당연한 것이 가장 어렵다.

가을바람에 몸을 맡기고 아내와 들깨를 털었다. 전에는 부모님을 도와드린다는 뜻이었는데 이제는 내 일이 되었다. 종업원은 힘들어도 주인은 멀쩡하다고 했던가. 아내와 둘이서 하는 일이 즐겁다. 아내가 사람은 절대 변하지 않는데 당신은 유일하게 좋은 방향으로 변한 사람이라는 칭찬을 했다.

아내와 함께 있으면 끝없는 이야기의 향연이 펼쳐진다. 아내와는 화제의 빈곤이 없다. 식탁에서도 이야기는 또 새롭게 시작되어 식사 시간이 길어진다. 사랑은 몇 번 반복되는 상대방의 이야기를 생전 처음인 신기한 이야기로 들어주는 것이다. 아내와 저녁 통화를 했다. 만나서 할 이야기가 많다.

밤새 비가 내렸다. 비에 젖은 새벽을 지나 돌아왔다. 아내가 현관에서 팔을 벌려 안아주며 수고했다고 등을 다독인다. 어제는 낙엽을 쓰는 사람이었고 오늘은 따뜻한 내 공간에서 하루를 시작하는 사람이 된다. 살아가는 하루에 특별한 이유가 있어야 하는 것은 아니다. 그냥 아내를 바라보며 산다.

아내의 감기로 아침 운동을 며칠 동안 하지 못하고 있다. 돌아오면 식탁에 바로 앉아 식사를 하는데 대화가 많이 줄었다. 밖에서 만나 함께 걸으며 이야기를 나누면 여행 효과인지 대화가 즐겁고 약간은 들뜬 상태가 되는데, 과정을 생략하고 앉은 식탁은 너무 차분하다. 부부가 아닌 가족의 모습이다.

아내는 내가 책을 읽지 않을 때 당신은 책을 읽어야 하는 사람이라고 말했다. 내 삶의 기준이 흔들리면 당신은 그렇게 살아서는 안 되는 사람이라고 했다. 내가 희망의 끈을 놓으려 할 때 당신은 운이 좋은 사람이니 조금만 더 견뎌 보자고 했다. 오늘 아내와 함께 작은 것에 연연하며 하루를 보냈다.

내가 살아오며 잘한 일이 있다면 그것은 술을 끊은 것이다. 나는 화를 잘 내고 늘 아내를 기다리게 하는 사람이었다. 아내는 내가 과거와 다른 사람이라고 말한다. 지금처럼 부드러운 사람이 될 거라고 상상도 못 했단다. 아내에게 인정받는 사람, 아내 말을 잘 듣는 사람으로 더 발전하고 싶다.

본가 빈집에 불을 때고 돌아와 주차를 하는데 아내가 지갑을 놓고 왔단다. 그런 경우의 정답을 알고 있는 나는 다음에 가자는 아내를 설득하고 2시간을 더해 지갑을 가져왔다. 쓰지도 않을 지갑은 왜 가져가서 이럴까 생각하고 있는데 아내가 관심법으로 내 마음을 읽는다. 사랑은 고단한 노동이다.

아내가 챙겨준 도시락으로 점심 식사를 했다. 저녁도 도시락이다. 2년 넘게 출근하는 날은 아내의 도시락으로 끼니를 해결한다. 내 드문 장점 중 하나는 아내가 주는 음식은 싱겁기만 하면 잘 먹는다는 것이다. 잘 먹고 술 마시고 잔소리 안 해서 살았다는 말을 아내가 했다. 꿀에 잰 생강도 먹었다.

아내 방에 갔다가 유퀴즈를 봤다. 김혜자가 출연했는데 사람이 살아가는 이야기가 저런 것이구나 공감하며 마음을 턱 놓고 봤다. 표정에 소녀가 담겨있다는 말이 무엇인가 확인했다. 저런 연기자가 있다는 것을 나는 몰랐다. 아내가 당신도 김혜자 씨 남편처럼 좋은 사람이라고 했다. 자랑한다.

근무를 마치고 돌아오면 9시 30분, 아내와 길을 걸으며 대화를 이어간다. 아내와는 언제나 화제의 빈곤이 없다. 사랑은 끝없이 다정한 이야기를 만들어낸다. 나는 부드럽거나 다정하지 못했다. 서른이고 마흔인 아내를 다시 만날 수 없지만 지금은 아내가 옳다. 사랑은 당신의 말이 옳은 것을 말한다.

가끔 올리는 도시락 시리즈. 새벽에 일어나 아침 식사를 한다. 퇴근해 집에 가면 9시 30분이라 경비실에서 어제 먹었던 반찬으로 이른 아침 식사를 한다. 아내를 생각한다. 단 한순간도 나에게 소홀하지 않았던 사람, 60대에도 여전히 힘든 세상을 지나는 사람, 그래도 마음에 소녀를 담고 있는 사람.

어젯밤에 삶이 힘겹다며 눈물 흘리던 아내가 새벽에 운동 가자고 전화를 했다. 밖에 나오자 당신도 힘든데 그랬다며 손을 꼭 잡는다. 카드 포인트 12만 원을 계좌로 입금했다고 자랑했더니 1/2을 요구해 현금 6만 원을 줬더니 모레 있는 모임 회비 생겼다며 웃는다. 그렇게 삶의 하루가 또 흘러간다.

죽음 앞에서 우리가 헤어져야 한다는 생각을 하면 무섭고 두렵다고 했더니 아내가 눈물을 글썽인다. 그런데 왜 당신은 사랑을 적극적으로 표현하지 않느냐고 물었더니 금방 눈물을 거두고는 나이를 거론한다. 내 유일한 대화 상대는 아내다. 대화에서 일치를 이루는 유일한 사람도 당연히 아내다.

야간 근무 마치고 퇴근하는 오전에 집 앞에서 기다리는 아내와 딸네 집에 가는데 아내가 그런다. "나는 당신이 있어서 빛나는 사람이야. 당신은 늘 환해." 38년을 함께 살아가는 사람에게 들을 수 있는 최고의 찬사에 당신처럼 대단한 사람과 살아가는 나는 삶에 대한 두려움이 없다고 대답했다.

어제 본가에 다녀온 아내가 늦은 밤에야 휴대폰이 없단다. 점심 식사를 한 식당에 있다는 것을 확인하고 오늘 오전에 찾아왔다. 돌아오며 강천산 숲길을 걸었다. 아내 전화의 벨이 울려 받았더니 병원에 계시는 어머니 전화였다. '그리운 우리 어머님'이라고 저장되어 있었다. 괜히 눈가가 촉촉해졌다.

부부의 날이다. 함께 나눌 기쁨은 애써 찾아야 하지만 운명을 공유하는 유일한 관계인 두 사람이 감당해야 하는 슬픔은 늘 넘친다. 희망의 흔적이 불확실할 때 슬픔은 구체적이고 빠르게 삶을 에워싼다. 아내에게 전화해서 하루의 안부를 묻고 얼마의 축하를 송금하며 아내의 건강을 빌었다.

손주가 태어나고 나서 아내에게 다양한 표정과 풍부한 감성이 자리하고 있음을 새롭게 경험한다. 아내의 어디에 저런 흥겨움이 숨겨져 있었던 것일까. 아내는 할머니가 된 것이 아니라 다시 소녀로 돌아가 아름다운 꿈을 꾸는 사람이 되었다. 저렇게 빛날 수 있는 사람에게 나는 무엇을 했던가.

내 삶에 빛나는 날은 없었다고 생각했는데, 돌아보면 많은 날들이 빛나는 날이었다. 시간의 간절함을 깨닫지 못하고 허송한 내 잘못으로 그런 날들을 덮었다. 결혼을 하고 아이들을 기르던 시간들이 눈물나게 그립다. 이제는 아무리 정성을 다해도 돌아가지 못한다. 행복은 아내를 사랑한다는 말이다.

아내의 수술 10년이 되는 날이다. 여러 수술이 있었지만 가장 부담스러운 수술을 받은 날이다. 뒤에도 몇 번의 수술이 더 있었다. 오늘 새벽에도 함께 걸으며 사랑한다고 말했다. 아내는 내 유일한 대화 상대고 내 말을 끝까지 들어주는 단 한 사람이다. 아내를 존중하고 언제나 아내의 뜻에 따른다.

2023-09-09

어제 바닷가 식당에서 조금 비싼 점심을 먹고 계산을 하는데 아내가 "잘 먹었어, 다음에는 내가 살게" 그런다. 손잡고 다니지, 먹으면서 웃고 서로 챙겨 주지, 틀림없이 불륜이라고 할 거라며 웃었다. 유명 빵집에 갔는데 맛있는 찐빵은 어디로 가고 작품을 팔고 있다. 결국 산 빵은 내 차지가 되었다.

딸이 엄마가 있어 행복하다고 했단다. 아내는 많이 아팠을 때 꼭 살아서 딸이 아이를 낳으면 기쁨을 함께 나누며 곁에서 챙겨주고 싶다고 했다. 세상의 슬픔은 혼자 견뎌도 기쁨은 함께 나눌 사람이 있어야 한다. 엄마는 딸의 기쁨을 가장 깊게 이해하는 사람이다. 오늘 아내가 대학병원에 간다.

병원에서 검사하는 아내를 기다린다. 아내는 조용하고 나는 어디에도 머물지 못하고 마음의 여기저기를 서성인다. 이런 날들이 이어져 더 나이 들어가고 초라하게 죽음을 맞이하는 미래가 기다리고 있을 것이다. 훌훌 털어버린다면 얼마나 좋을까. 기쁨 없는 삶에 익숙하지만 오늘은 그 끝에 서 있다.

다시는 어제로 돌아가지 못한다. 어제가 가장 힘들다고 생각했지만 이제는 돌아갈 수 없는 꿈이 되었다. 아침에 아내의 얼굴이 눈물범벅이었다. 본가에 가서 일을 했다. 아내를 설득했고 서울로 가기로 했다. 돌아오는 길에 아내가 이제 살 것 같다고 했다.

아내에게 늘 말한다. 40대의 당신이 세상에서 가장 빛나는 사람이 아니었는지도 모른다. 50대의 당신을 가장 사랑했다고 자신 있게 말하지 못한다. 60대의 당신은 세상에서 가장 아름답게 빛나는 사람이고, 당신의 모든 억지와 당신의 얼굴에 담긴 세월을 사랑한다고. 당신을 사랑할 세월을 달라고.

나는 한 사람의 삶은 사랑의 기억이어야 한다고 믿는다. 성공하기 위해 몸부림치는 세상에서는 한가한 이야기임이 분명하지만, 생의 마지막 순간에 나는 사랑의 기억을 안고 돌아갈 것이다. 사랑하는 사람과 함께 이루는 일치와 함께 견뎠던 슬픔이 모여 삶을 이룬다. 사랑은 일치와 슬픔의 기록이다.

30대 중반에 처음으로 아내와 둘이서 여행을 갔다. 여수에서 밤을 보냈는데 바닷가 여관 주인에게 세상에서 가장 이쁜 여자에게 어울리는 방을 달라고 했더니 5,000원을 더 받고 바다가 보이는 방을 줬다. 함께 많은 세상을 돌아다녔다. 오늘도 꽃구경을 다녀왔고 돌아오는 길에 아내는 잠을 잤다.

아내가 CT를 찍고 있다. 아무렇지 않은 사람처럼 웃으며 들어갔다. 끝나면 함께 점심을 먹기로 했다. 그동안 내가 읽고 들으며 감동했던 세상의 모든 이야기는 아내가 보여주는 한순간의 미소에 미치지 못한다. 아내는 내가 상상하고 쓸 수 있는 아름다움의 가장 환한 이름이다. 늘 아내를 꿈꾼다.

아내가 오늘 오전에 입원한다. 나는 출근하고 딸이 보호자로 가기로 했다. 수술하는 내일부터는 내가 휴가를 내서 아내를 간병할 예정이다. 아내는 며칠 동안 제대로 잠을 이루지 못하고 있다. 앞으로 어떤 일이 기다리고 있는지 모른다. 유방암 수술 10년을 지나고 방광암 수술을 받는다. 무섭고 두려운 새벽이다. 그렇지 않아도 넘치게 견디기 힘든 세월을 보내고 있었는데 운명에는 선의가 없다. 또 무엇에 기대어 이 시간을 지날까. 새벽의 어둠 앞에서 막막하다. 그것이 내 진심이다.

다음 주 화요일 오후에 아내의 수술 결과와 향후의 치료 계획을 듣는 진료가 예정되어 있다. 그런데 며칠 전에 병원의 다른 과에서 확인할 내용이 있다며 진료일에 아침 일찍 혈액 검사를 하라는 연락이 왔다. 순간 여러 가지 상상으로 정신이 아득했지만, 짐짓 아무렇지 않은 척 지나쳤다. 아내는 그 뒤로 잠을 이루지 못하고 있다. 부디 단순한 확인이기를 바라며 아내를 다독인다. 시간이 빨리 지나기를 바란다.

아침에 혈액과 소변 검사를 하고 방금 신장내과 진료를 받았다. 신장 기능에 문제가 없다는 결과를 들었다. 암 진단을 받고도 울지 않던 아내는 신장이 괜찮다는 말에 내 손을 잡고 평펑 울었다. 장모님께서 지금 아내의 나이에 혈액 투석을 하셨고 결국은 일찍 돌아가셨다. 장모님과 함께 살면서 그 과정을 지켜본 우리에게 신장 내과는 공포였다. 수술 결과의 진료를 기다리는 아내가 참 오랜만에 환하게 웃고 있다.

친구 모임에 참석했던 아내가 싱싱한 나무가 되어 돌아왔다. 인생 전문의 6명의 집중 치료 덕분에 모임에 나갈 때의 망설임이 사라진 밝은 표정으로 친구가 직접 쒸온 호박죽을 식탁에 내려놓았다. 아내는 친구들이 다들 아프다고 하는 바람에 내가 건강한 사람인가 하는 생각이 들었다며 호박죽을 맛있게 먹었다. 나도 따라서 먹느라고 사진을 찍지 못했다. 호박죽에 마음을 빼앗겨 본분을 망각한 것이다.

오늘 아내에게 사람은 몸과 마음이 편하면 가장 바람직하겠지만 선택해야 한다면 몸이 편해야 한다고 말했다. 어떻게 살아도 마음이 편해야 한다고 말하고 싶었지만 실현 불가능한 것이라 그렇게 말했다. 기온이 내려가는 밤에 더 이상 아래로 내려갈 곳이 없는 마음을 돌아본다. 그나마 내가 견디는 것은 몸이 건강하기 때문이다. 가장 중요한 사실이지만 지금의 나를 설명하는 초라한 이유가 되기도 한다. 마음이 밤의 어두운 길을 따라 한없이 떠돈다.

오후에 아내가 네 번째 항암 치료를 받았다. 오늘은 다른 날보다 기다리는 시간이 길어서 아내가 많이 힘들어했다. 항암을 마치고 나오는 아내의 손을 잡고 사랑한다고 말하며 이름을 불러줬다. 돌아오는 길에 당신이 오늘 병원에서 제일 예뻤다고 했더니 아내가 조금 웃었다. 저녁 출근하며 꼭 식사하라고 당부하고 돌아서는 마음이 애달팠다. 방금 아내가 밥 먹었으니 걱정하지 말라는 전화를 했다. 40년 가까이 함께 살아도 보고 싶고 무슨 말이라도 나누고 싶다. 사랑은 언제나 새로운 그리움을 만들어간다. 그리움을 여기에 쓴다.

언제나 별 변화가 없는 도시락으로 점심 식사를 했다. 내일 아침까지 여기서 해결한다. 지금은 변화가 없다는 것이 위안이 된다. 아내에게 내가 간단히 준비해 가겠다고 말하면 주는 대로 가져가라는 대답이 돌아온다. 도시락에 대한 언급은 반항으로 받아들여지는 분위기라 나는 열심히, 맛있게 먹을 뿐이다. 그래도 오늘 아침에는 국물을 다 먹지 못한다는 이유로 냉이국을 놓고 왔다. 비슷한 도시락 사진을 남기는 것은 준비하는 사람의 마음을 여기에 기록하고 싶어서다.

새벽에 아내와 함께 걷는데 는개가 내렸다. 그것은 맨눈으로는 보기 어려웠고 가로등 불빛을 지날 때 연기처럼 흐르고 있었다. 아내가 전에도 당신이 는개에 대해 설명해 줬다고 말했다. 군대 시절에 제주도 선생님과 편지를 주고받았는데 내 편지가 제주의 안개비를 닮았다는 답장을 받은 적이 있다. 오후에는 아내와 병원에 간다. 삶은 하나도 특별하지 않은 반복으로 이어질 때 행복한 것이 된다. 나는 단순한 새벽과 아내와 나누는 익숙한 대화를 기억하기 위해 트위터를 한다.

아내가 마지막 항암을 했다. 일단은 한 과정을 마친 것이다. 이제 긴 과정의 한 단계를 지난 것이다. 아내의 손을 잡고 병원 문을 나서며 아내와 오래도록 따뜻하게 살고 싶다는 희망을 품었다. 아내는 생각이 많은 표정으로 나를 바라보았고 나는 불가능한 영원을 그렸다. 사랑은 자주 슬픔과 함께 온다. 사랑을 그리는 저녁에 마음에는 어둠을 따라가는 눈물이 고였다.

어제 출근할 때 아내가 동지 팥죽 사 오라고 카드를 주는
선정을 베풀었는데 집에 와서 휴대폰을 보니 내 카드로 계
산했다. 지난주에는 고향 정육점에서 고기를 사고는 10%
할인되는 카드를 사용하지 않아 무려 8,400원을 허공에 뿌
리기도 했다. 열 봉지가 넘는 라면을 살 수 있는 돈을 버린
것이다. 아내가 너무 아까워하는 바람에 더 속이 쓰렸다.
오늘 카드를 쓰지 않아서 아내가 만족했다는 것으로 그 빚
을 갚은 느낌이다. 무슨 말인지는 나도 모르겠다.

4년 2개월 동안 96,386km를 달린 자동차 타이어를 교체했
다. 아침에 퇴근하면서 교체하고 들어간다고 아내에게 전
화했더니 통장으로 화끈하게 대금을 입금해 줬다. 전혀 예
상하지 못했던 크리스마스 선물을 받았다. "당신은 나에게
아낌없이 주는데 이까짓 거 타이어가 문제냐"는 멋있는 말
도 했다. 가족들과 점심 식사를 하고 들어와 오후에는 고요
한 낮잠을 잤다. 내일 그까짓 거는 잘 모른다. 오늘은 이만
하면 충분히 넘치는 날이다.

손주가 자라면서 아내에게 사랑을 설명하는 것이 가능해
졌다. 간절하게 보고 싶고 끌어안고 볼을 비비며 사랑한다
고 아무리 말해도 또 말하고 싶으며 손짓 하나, 잠깐의 미
소에도 세상이 내게 온 것 같은 감동을 하는 것이 손주에
대한 사랑이다. 돌아서면 또 그립고 손을 흔들던 모습이 눈
에 밟혀 끝없는 사랑에 애가 타고 아무리 무뚝뚝한 사람도
그 앞에서는 웃는다. 내가 당신을 사랑하는 것은 당신이 손
주를 향하는 마음과 같다고 했더니 아내가 웃는다.

아내의 수술 후 첫 검사 결과에 대한 진료를 받았다. 11년
전에 다른 암으로 수술을 했을 때도 같은 과정을 거쳤었다.
병원을 향하여 가는 길에 무슨 말을 해도 즐거운 이야기가
없었다. 마음의 기원을 애써 말하지 않고 기다리는 시간에
아내는 손주의 사진을 보고 있었다. 결과는 좋았고 아내와
나는 손을 꼭 잡았다. 또 이렇게 살아가는 것이다. 당신과
나는 서로에게 깊은 사람이어서 우리는 그 간절함을 확인
하는 것이다. 사랑이라고 부르는 일치 앞에서 행복했다.

근무를 하는 밤에는 아내와 통화를 한다. 거의 내가 하는 편이다. 아내의 목소리가 밝으면 나도 환해진다. 오늘은 환한 밤이다. 신혼 시절 옆집에 40대 부부가 살았는데 저렇게 나이를 먹으면 서로에 대한 감정 없이 살 거라고 생각했다. 그보다 더 살아보니 세월이 흐를수록 사랑은 깊어지고 애정 표현도 더 따뜻해진다. 아내가 예쁜 사람이라는 것을 깨닫는 데 오랜 시간이 필요했다. 아내와의 통화는 멀리 떨어져 있는 연인처럼 늘 애틋하다. 나는 더 많이 아내를 사랑해야 하는 사람이다.

퇴근길에 시장 떡집에 들러 떡을 샀다. 아침 일찍부터 명절이 시작되고 있었다. 아내가 명절 흉내라도 내야 한다며 카드를 줬다. 똑같은 돈인데도 내 카드가 아니라서 가벼운 마음으로 이것저것을 살 수 있었다. 집에 오니 아내가 설음식을 준비하는 판을 벌여 놓았다. 아내는 어디에 저런 힘을 담고 있는 것일까. 아내는 늘 새로워지는 사람이다. 끝없는 사랑의 힘을 지켜보며 눈물을 감춘다.

13.5도의 새벽에 비가 내렸다. 누가 설명하지 않아도 이미 봄의 세상이었다. 우산을 들고 걸으며 아내가 꽃이 피기에 좋은 날이라고 했다. 나는 사랑하기에 좋은 날이라고 대답 했으며 바로 사랑은 살아 있는 날이면 다 좋다고 정정했다. 오늘은 꽃이 피어도 어울리는 날이고 당신에게 사랑을 말 하기에 가장 적당한 날이다. 나는 그 정도는 알고 있다.

내가 쓰는 모든 이야기의 바탕에는 아내가 있다. 나는 아내 의 울타리 안에서 세상을 보는 것이다. 나는 사랑은 언어로 표현해야 한다고 주장하고 아내는 상대방에게 정성을 다 하는 것이 사랑이라고 말한다.
어떤 분이 아내 이야기와 음식 사진을 많이 올려 달라는 말 씀을 하셨다. 읽으며 힘을 얻으신다고. 오늘 점심 도시락 사진으로 답장을 드린다.

4

삶

슬픔도 쓰다 보면

아름다워진다.

·

글이 때로는 삶을 미화한다.

슬픔도 쓰다 보면 아름다워진다.

많은 분들이 떠났지만

나는 여기에서 무슨 이야기를 쓸 것이다.

희망 없는 사람의 이야기에서

또 다른 시작을 읽을 수 있기를 바란다.

단순한 노동에는 중독성이 있다. 주변을 정리하고 빗자루로 쓰는 행위를 반복하면서 어떤 위안을 받는다. 60대가 되면 삶의 단순함이 행복을 안겨줄 거라고 기대했지만 살아있어서 삶은 늘 무겁다. 오늘도 흐트러질 수 없는 삶을 마주하며 경비실에서 아침을 기다린다.

나이 들어서도 의욕적으로 삶을 살아가는 사람들이 있다. 그런데 내가 60대를 살아가면서 바라보니 노익장이라는 단어가 초라하게 느껴진다. 이미 생의 중심에서 멀어진 사람의 몸부림으로 여겨진다. 뒤 세대에게 자리를 내어주고 조용히 지켜보는 삶이 아름답게 보인다. 내가 요즘 우울한 탓일까.

마트에서 단정한 옷차림과 깔끔한 외모의 중년 여성이 아내에게 웃으며 아는 척을 한다. 아내는 선뜻 기억이 떠오르지 않는지 어색한 미소를 짓고 있는데 옆에서 물건을 고르고 있던 남자가 "제 아내가 정신이 맑지 못합니다" 그런다. 아내를 저렇게 단정하게 하고 함께 마트에 온 남편은 어떤 사람일까.

나는 사람들과 슬픔을 나누지 않는다. 형제에게도 하소연을 하지 않는다. 그저 묵묵히 견딘다. 오히려 트위터에 적는 것이 더 큰 위로가 된다. 내가 술을 끊었던 것은 내가 서 있는 곳이 절벽이라는 절박함 때문이었다. 반복되는 슬픔은 사람과의 사이에 거리를 만들어낸다. 기쁨의 경우에는 더 그렇다.

나는 한 번도 성공한 기억이 없는 사람이다. 선택의 여지 없는 삶을 받아들이며 견디고 살았다. 60대의 정신적인 안정도 여유도 없다. 내가 잘살고 있는 것처럼 보인다면 그것은 내가 내 삶의 이야기를 하고 있지 않기 때문이다. 오늘은 이런 말이라도 하고 싶다. 그래도 사람 노릇하며 살았다고.

땀을 흘리려고 출근한다. 습도가 높은 아침은 땀을 만들기에 최적의 조건이다. 온몸이 땀에 젖어 들면 정신의 어떤 정화가 다가온다. 비가 조금 내리다 그쳤고 땅과 대기는 적당한 습기를 머금어 움직임에 따른 보상이 즉시 땀으로 주어진다. 살아 있다는 것이다. 살아서 슬프고 살아서 땀 흘린다.

죽음 앞에서는 모든 것을 버릴 거라고 생각하지만 인간은 마지막 순간까지도 명예를 붙들고 간다. 끝까지 죽은 뒤를 챙기는 것은 살고 싶다는 강한 욕망의 표현이다. 죽음 앞에서는 내가 떠들었던 말을 거둬들이고 함께 했던 사람들의 이야기를 들어주는 사람이 되고 싶다. 죽음의 예의는 그런 것이다.

오늘이 최악이라고 생각하지만, 내일은 오늘이 그리울지도 모른다. 삶은 늘 어제를 그리워하며 앞으로 흘러간다. 어제가 행복했던 것은 아니지만 이제는 어제의 최악이 그리운 것이다. 슬픔을 더 큰 슬픔으로 덮는다. 삶은 어떤 평화도 허락하지 않는다. 차가운 의무의 시간으로 또 무엇을 견디는가.

삶이 혼란스러울 때 내가 기다렸던 것은 60대였다. 60대가 되면 나를 위해 살아갈 수 있을 것이라는 희망을 품었다. 희망은 허망한 것이어서 내 주위는 온통 지뢰밭이다. 한 걸음도 마음 놓고 디딜 수 없다. 의무는 선택의 여지와 무관하다. 경비 근무를 마치고 병실에서 어머니를 바라본다. 그렇다.

아름다운 노년에 대한 환상이 지워지고 있다. 아내와 함께 늙어가며 천천히 세상에서 사라지는 꿈을 꾸었는데 부모님과 주변을 지켜보며 장수의 숫자가 두려움으로 다가온다. 아름다움에 반응하며 아내를 사랑하고, 지적 호기심을 유지하며 살고 싶다는 소망이 얼마나 큰 꿈이었는지를 깨닫고 있다.

단순하게 산다. 술, 담배, 커피, TV, 영화 없는 세상을 산다. 어쩌다 보니 그렇다. 자주 통화하는 친구에게도 가정 이야기는 하지 않는다. 마음 깊은 이야기는 누구에게도 하지 않는다는 뜻이다. 그것이 나를 자유롭게 한다. 아는 사람의 삶이 궁금하지 않다. "기차에서 만난 낯선 사람"이 편하다.

사전연명의료의향서를 등록했다. 무의미한 연명치료 하지 않고 무덤이나 납골당 등에 흔적을 남기지 않으며 제사나 추모의 행사를 일절 하지 않는 것이 죽음을 대하는 내 마음이다. 아내와 자식들에게 내 뜻을 말했고 오늘 그 마음을 등록했다. 나는 죽음이 모든 것의 끝이어야 한다고 생각한다.

오랜 고난의 세월을 보내고 마침내 평화를 찾았다는 이야기는 얼마나 큰 축복일까. 글로 쓸 수 있는 고난은 또 얼마나 그리운 미담인가. 나는 내 삶에 그런 아름다운 회상이 존재하지 않을 것임을 잘 알고 있다. 가슴이 쓰린 밤, 나에게 주어진 의무가 죽는 날까지 계속될 것임을 담담하게 인정한다.

결혼 소식보다는 장례 소식이 더 많이 들려온다. 받아들이며 수긍하는 죽음도 있고 아직은 삶이 더 허락되어도 좋은 사람의 안타까운 부음도 있다. 건강과 경제력 자식 복까지 갖춘 사람이 사고로 일찍 세상을 떠나기도 한다. 다 가질 수 없는 것이 삶이다. 나는 그렇게라도 믿으며 내 결핍을 위로한다.

결혼 주례를 몇 번 섰는데 처음에는 결혼은 상대방이 갖고 있는 세계를 사랑하는 일이라고 했다. 마지막 섰던 주례는 주로 신랑에 대한 당부로 채웠다. 행복은 아내와 함께 있는 공간에 있고 거리에 있지 않으며 특히 어둑한 술집에 있는 경우는 없다. 부부가 함께 쌓아가는 시간이 행복을 만든다고.

사전연명의료의향서가 등록되었다는 카드가 도착했다. 60대는 일하기에 충분한 나이지만 나이의 의미를 생각해야 하는 나이이기도 하다. 나는 새로운 것을 시작하며 노익장을 과시하고 싶은 마음이 없다. 시간을 바라보고 나를 받아들이며 더 이상 발전하지 않는 사람으로 살고 싶다. 이만하면 됐다.

나는 가능하면 세상과 새로운 관계를 만들지 않으려 한다. 더는 다양한 세상을 보고 싶은 마음이 없다. 인연으로 행복해지는 삶이 아니라 하루를 무사히 보내는 삶을 희망한다. 간직하기 어려운 벅찬 행복이 아닌 묵묵히 견뎌내는 일상이 나에게 어울린다. 경비실에서 보낸 오늘도 그런 하루였다.

근무하면서 대화를 나눌 기회가 주어지면 이야기를 이어가지 않으려고 하는데 꼭 빈틈을 허락한다. 내 출신학교를 말한 실수로 아들이 동문이며 대기업에서 최근에 승진했다는 이야기를 길게 들어야 했다. 자식 자랑과 부동산 이야기는 나와는 대화가 필요 없다는 뜻으로 듣는다. 많은 경우에 그렇다.

나이가 들어가니 부러운 것이 없어진다. 부럽다는 감정도 의욕을 동반하는 일인데 그런 의욕이 없다는 뜻일 것이다. 세상과 인간이 참 단순하다는 확신이 더 강해진다. 자기 직업의 범위 안에서는 유능해 보이는 사람도 대화를 해보면 난감한 경우가 대부분이다. 그렇게들 좁은 세상을 살다 간다.

마음은 언제 행복해지는가. 새벽에 깨어나면 가슴 설레는 하루가 기다리고 있는 사람의 삶은 어떤 느낌일까. 부자가 아니어서 무료하지 못하고 평온하지 않아 끝없이 움직인다. 내가 오늘 경비실에서 맞이하는 세상에는 어떤 위안도 없을 것이다. 나는 위안과 평화에 대한 서툰 희망을 이미 버렸다.

딸의 결혼식에 참석했던 하객에 대한 고마움을 소중히 간직하고 있는데, 특히 기억하는 축하 손님이 있다. 말기 암으로 3개월을 남긴 친구가 참석해서 축하의 말을 건네는데 고마움과 미안함으로 말문이 막혔다. 친구는 아무도 힘들게 하지 않고 3개월 후 눈을 감았다.

80 넘은 연세의 노스님께서 먼 길을 버스를 타고 오셔서 참석했다. 스님은 나를 친구라고 부르며 가르치지 않고 언제나 편안하게 대해 준다. 작은 절에 계시는데 행사가 있으면 그야말로 인산인해를 이룬다. 지금도 스님과는 각별한 관계를 유지하고 있으며 만나 뵈면 마음 편한 위안을 받는다.

친구가 자신을 위해 살라고 당부를 한다. 평소에 지나가는 말을 모아보면 저렇게 힘들게 살아서 어쩌나 걱정했다며 자신을 귀하게 여기라 한다. 사실은 누구에게도 그런 말을 듣지 못했다. 초등학교 1, 2학년 때 친하게 지냈는데 40년 지나 다시 만났다. 눈물겹도록 고맙다.

술을 마실 때는 술이 대화를 이어주고 삶을 풍요롭게 한다고 믿었다. 술을 마시지 않으면서 사람과의 대화는 더 깊고 맑아졌다. 대화에서 마음을 나눈다는 느낌이 가능해졌다. 세상을 바라볼 때 온몸의 감각이 작동한다는 것을 실감한다. 나는 술을 잘못 마셨고 너무 많이 마셨다. 그것이다.

아내와 식당에서 저녁을 먹고 어둠이 내리는 거리를 걸었
다. 비가 조금 내렸고 마음 따뜻하면서 쓸쓸했다. 이제는
어떤 기쁨도 넘치는 법이 없다. 나이가 들면 책임으로부터
자유스러워지며 자신의 삶을 찾게 된다고 말하지만 그런
순간은 오지 않는다. 그래도 책상에 앉는다. 살아 있기 때
문이다.

며칠 전 만났던 커피 멤버들이 자꾸 떠오른다. 이미 퇴직
한 지 오래고 직업상으로 아무런 연결 고리가 없는 사람
에게 깍듯이 예의를 갖춰주는 마음이 고마워 아내에게
몇 번이나 이야기했다. 나는 평생 밥벌이에 급급하며 조
급한 마음으로 살아왔다. 예의를 갖추고 살라는 가르침을
받은 것이다.

어제 초등학교 동창 모임에 참석했다. 다들 젊다고 생각하지만, 그 젊음은 인정받지 못하는 젊음이고 시작하지 못하는 젊음이다. 나이 들어 새롭게 시작하는 미담은 불꽃이 사그라드는 예고로 읽힌다. 아름다움에 반응하며 아내를 사랑하고 세상에 대한 호기심을 유지하는 삶은 어디까지 가능할까.

어제는 한없이 어두웠지만 어둠이 깊으면 새벽이 가까워 오고 결국은 아침이 올 거라는 막연한 믿음을 갖기로 한다. 삶이 희망이 아니라도 살아야 할 이유는 가득 넘친다. 살아 있으면 된다는 것과 삶에는 다 엄숙한 이유가 있다는 것을 믿는다.

모두가 퇴근한 건물을 지키며 생각 많은 밤도 함께 지킨다. 한 친구가 삶이 무료하다고 한다. 걱정이 없다는 뜻으로 듣는다. 60대에도 무료하지 못한 나는 결핍이 주는 간절함으로 하루를 보냈다. 삶에는 결핍이 있어야 한다고 믿지만 어떤 순간에는 그 무료를 곁눈질한다. 오늘이 그랬다.

모임에 참석할 때 나는 꼭 콤비라도 입고 간다. 패딩점퍼가 일반적이고 누구도 간섭하지 않는 자리지만, 편하게만 입으면 삶의 하한선이 자꾸 내려가는 느낌이 들어서다. 활자에서 멀어지면 생각하는 기능이 퇴화할까 봐 꾸준히 신간을 구입한다. 책을 기다리는 시간이 만드는 설렘도 좋다.

친구들이나 퇴직한 동료들을 만나면 삶의 쓸쓸함과 시간을 감당하지 못하는 무료함을 호소한다. 퇴직 전까지의 근무는 의무로 여기며 지냈는데 그 의무를 벗어나니 자유로운 삶이 아닌 막막한 시간이 처치 곤란이란다. 부족한 시간에 듣던 음악과 졸음 속에 읽던 책은 이제 없다. 절실함이 그립다.

생명은 살아 있으면 된다고 믿는다. 성공이나 희망은 유한한 삶을 위로하는 그저 그런 장식품에 지나지 않는다. 작은 것에 만족하고 행복을 찾으라는 이야기가 넘치는 세상에서 지금은 무엇에도 기대어 행복하고 싶은 마음이 없다. 살아 있는 것의 당연함으로 이루거나 도달하지 못한 삶을 덮는다.

삶에 공백이 있던 시기에 가장 견디기 힘들었던 것은 월요일이 온다는 것이었다. 주말이라는 단어에 묻혀 지내다 출근하는 월요일이 오면 어디론가 출발하는 사람들이 부러워 밖을 내다보지 않았다. 그 기간은 순전히 운에 의해 10개월 만에 끝났지만, 월요일 아침이면 그 기억이 새롭다. 월요일이다.

아버지 장례식 때 함께 근무했던 직원들이 많이 찾아줬다. 퇴직하고 전화 한 통화 나누지 않은 사람이 대부분이었다. 특히 가까이 근무했던 여직원들이 거의 빠짐없이 마음을 전해왔다. 나는 잘 나갔던 사람이 아니다. 고마움에 나를 돌아보며 많은 반성을 했다. 그것은 세상에 대한 내 책임을 말한다.

가난하다고 생각했던 시절에 아내와 열심히 여행을 다녔다. 유명 음식점을 먼 길을 마다하지 않고 찾아다녔다. 술을 많이 마셨지만 그렇게 살았다. 서울로 공연을 보러 가고 외국 여행을 다니면서 살았는데 마음의 여유가 있어야 할 나이에는 삶에 모든 것이 묶여 버렸다. 오늘을 사랑해야 하는 이유다.

비가 내렸다. 차가운 바람이 불고 온도가 내려갔지만, 누구도 이미 봄이 깊어지고 꽃의 시절이 시작되었다는 것을 의심하지 않는다. 삶의 시련도 그래야 한다. 많은 사람들이 그렇게 산다. 지난 시련을 돌아보며 안도하는 삶은 얼마나 포근한 것일까. 음악을 들을 수 없는 밤이 있다. 오늘이 그렇다.

가난이 그렇듯이 슬픔도 어떤 삶을 빛나게 하는 배경이 되기도 하지만 어떤 삶은 슬픔으로 무너지기도 한다. 기쁨을 말하면 질투가 따르지만 기쁨이 줄어들지는 않는다. 슬픔은 말하는 순간부터 사람의 입을 옮겨 다니며 오히려 커진다. 꽃에 마음을 얹지 못하고 봄을 보낸다. 그래도 봄밤이다.

친구들과 점심식사, 술이 없는 식사와 대화가 마음에 스며들면 나이를 먹은 것이다. 친구가 전화해서 특유의 그 슬픈 문장으로 꽃 피는 봄을 써 보내란다. 꽃에 감동이 없다고 했더니 인생 끝났다고 한숨을 쉰다. 아내를 사랑하고 늘 표현하며 산다는 말에 그럼 정상이라고 한다. 친구는 나를 안다.

아내와 걷는 새벽길에서 몇 년 동안 인사를 나누는 노인분이 있다. 처음에는 지팡이에 의지해서 힘겨운 한 발짝을 옮기곤 했다. 꾸준한 시간의 힘은 대단한 것이어서 오늘은 지팡이에 의지하지 않고 걷고 있었다. "멀리서는 어르신이 아닌 줄 알았습니다"는 인사에 세상에서 가장 환해지는 얼굴을 봤다.

시련이 인간을 성숙하게 하고 강하게 단련시킨다는 미신을 믿고 싶던 시절이 있었다. 실상은 절망에 익숙해지고 인정하고 싶지 않은 현실을 받아들이는 과정을 부드럽게 표현한 것이라고 여긴다. 그래야 살아간다. 7층 계단을 여섯 번 왕복했다. 세상이 허락한 오늘 아침의 반복은 낡고 익숙하다.

살아갈수록 세상을 잘못 살았다는 것을 뼈저리게 절감한다. 지나고 보면 아무런 흔적도 남지 않는 인연에 연연했다. 그 소중한 시간을 가족과 보내야 했는데 어리석은 나는 밖에서 너무 많은 시간을 보냈다. 언제나 후회는 늦은 것이다. 그때 잘해야 했다. 어리석은 사람은 이미 늦었을 때 말한다.

산에 다녀왔다. 계획에 없었는데 심장이 터질 때까지 산을 오르고 싶었다. 나는 갖춘 등산복이나 등산화가 없다. 스틱도 사용하지 않는다. 최소한의 복장과 장비로 최악의 조건을 만나는 것이 내가 산에 오르는 방식이다. 정상까지 쉬지 않고 빨리 오른다. 치열하게 산을 만나고 나면 살고 싶어진다.

고통의 끝에는 또 다른 고통이 있을 뿐 어떤 위안도 없음을 잘 안다. 나는 위안이 없는 고통을 만나기 위해 오늘을 살고 산에 오른다. 오늘이 고통스러워 뒤돌아볼 과거가 없다. 고난과 가난의 기억을 떠올리며 안온한 행복을 확인할 나이에 끝없이 이어지는 오늘을 살아간다. 내 삶은 늘 오늘이다.

퇴직 후 삶은 무료한 것이다. 주인공으로 보냈던 시간이 지나고 또 무엇인가를 시작하지만, 주변인에 머무는 기분이다. 경험은 참견에 머무르고 과거를 불러내지만 그럴수록 현재는 더 초라해진다. 퇴직하고 더 바빠졌다는 말이 이제는 마음에 닿지 않는다. 혼자서 살아가는 습관에 익숙해져야 한다.

예전에 분식집에서 김밥과 라면을 먹고 있는데 가끔 대화를 나누는 사무실 동네 여성분이 내 밥값을 계산하고 나간다. 어렵게 사는 사람이고 힘들게 일하는데 남편은 한량, 그런데도 원망이나 한숨을 듣지 못했다. 밥값을 돌려주려는 내게 "제가 한번 사드리고 싶었습니다." 그 품위를 잊지 못한다.

초등 친구와 점심 식사를 했다. 식당 옆자리에 앉은 여성분이 친구에게 아는 체를 한다. 친구도 기억을 되살려 인사를 했고. 친구는 도청에서 정년퇴직했다. 식사가 끝날 무렵에 친구가 옆자리 일행 4명의 식비를 계산했다. 도청에 근무할 때 청소를 하셨단다. 오랫동안 지켜본 친구를 다시 봤다.

삶은 기가 막힌 기적으로 이어진다. 당연한 삶은 없는 것이다. 그 기적 앞에서 삶을 불평한다. 신은 우연하고도 당연한 작은 성공을 자신의 능력이라고 주장하고 큰 불행은 외면한다는 글을 읽었다. 생명이 살아 있는 것은 언제나 기적의 영역이며 인간의 노력은 작은 차이만을 만든다고 믿고 싶다.

삶의 하한선이 자꾸만 아래로 내려간다. 이제는 그 선을 올릴 자신이 없다. 어제가 가장 힘들었다고 생각했는데 오늘은 어제가 그리운 날이 된다. 낮아지는 삶을 받아들이는 마음을 자족이라고 부르며 나를 위로한다. 혼자인 토요일의 경비실에서 이제 또 내려갈 낮은 자리가 있는지 묻는다.

지금 내가 바라보는 세상은 내가 살아온 세상 중에서 가장 좁은 것이다. 다시 시작하지 못하는 삶은 반복이 삶의 모든 것이 된다. 생명을 예찬하는 어떤 찬사도 결국은 반복에 바쳐진 것이다. 오늘이 어제와 같기를 바란다. 그래서 당신의 얼굴을 마주하며 내일을 어렴풋이 믿는 사람이 되고 싶다.

아침 6시 30분에 친구가 전화를 했다. 매일 전화를 주고받는 유일한 친구다. 오전 오후에 교대로 전화를 하기도 한다. 먼저 날씨를 묻고 시작한다. 먹고 사는데 걱정 없는 친구도, 세파에 흔들리는 나도 외로운 것이다. 가끔은 술을 마시고 밤에 전화를 해도 기꺼이 받는다. 외로움을 받는 것이다.

글이 때로는 삶을 미화한다. 슬픔도 쓰다 보면 아름다워진다. 그래서 나는 트위터에 한숨을 쓴다. 많은 분이 트위터를 떠났지만 나는 여기에서 무슨 이야기를 쓸 것이다. 희망 없는 사람의 이야기에서 또 다른 시작을 읽을 수 있기를 바란다. 보잘것없는 삶을 읽어주시는 모든 분께 감사드린다.

내가 입사할 때 상사였던 분이 전화를 했다. 몇 년 전 대장암 수술을 하셨다고 한다. 남자 평균 수명을 더 살았으니 삶에 미련은 없다고. 가끔 전화해도 되냐는 말에 진한 외로움이 묻어났다. 결국은 누구나 세상의 중심에서 멀어지게 된다. 나는 이미 반복 이외의 어떤 기쁨에 대한 기대도 버렸다.

무료함은 부자의 저주라는데 부자가 아닌 내 삶도 무료하다. 오늘은 천천히 산에 올랐고 바람을 맞으며 한참을 앉아 있었다. 산에 올랐던 까닭도 무료함을 견디기 어려워서였다. 오전을 그렇게 보내면 오후는 그런대로 지나간다. 축제 없는 삶을 견디는 일이 어렵다. 살아 있는 하루가 이렇게 간다.

세상의 아름답고 긍정적인 언어를 알고 있다. 가장 아름답고 빛나는 말을 골라 내 마음의 가난을 덮을 수도 있다. 내일과 기다림이라는 것에 한 가닥 희망을 걸고 오늘 좁아지는 마음을 달랠 수 있지만 나는 아무것도 하지 않는다. 무책임하게 나에게 다가오는 내일을 받아들인다. 어떻게 될 것이다.

서울과 인천의 결혼식에 참석하고 인천에서 전주 가는 버스를 탔다. 서울에서 인천을 친구 차로 가는데 친구가 나를 자랑스런 친구라며 자신의 인생에서 역경을 만날 때 나를 생각한다는 말을 했다. 지나온 한 시절을 기억하고 있었다. 혼자가 아니다. 함부로 살아서는 안 되는 것이다. 눈물을 참았다.

나는 나이를 먹으며 넉넉하거나 여유로워지지 않았다. 지혜가 깊어지는 일은 더욱 없었고 마음은 더 흔들리며 눈물을 자주 참게 되었다. 안 된다는 말을 하고 번복하는 일이 잦아졌다. 어쩌다 찾아온 기쁨은 머물지 않았고 슬픔이 옷처럼 나를 감싼다. 가을을 말하면 내가 속한 계절이구나 느낀다.

내 삶에는 타인에게 경험으로 들려줄 가르침이 없다. 어떤 삶에도 작은 성공의 이야기가 있고 공감할 수 있는 기쁨은 있기 마련인데 아무리 둘러봐도 내가 지나온 자리는 황량하다. 그런 아침은 또 반복된다. 오늘을 어찌 살 것인가. 성공의 이야기가 넘치는 세상을 애써 외면하고 나를 바라본다.

경비실에서 24시간을 보내고 퇴근을 기다린다. 근무를 마쳤다는 홀가분함은 작고 감당해야 할 하루는 긴 것이다. 풍요로운 삶을 살던 지인이 60 앞에서 세상을 떠났다. 운동을 열심히 했고 술, 담배도 멀리했는데 오래 사는 것에는 익숙하지 못한 것이다. 슬픔도 살아 있는 사람이 받는 선물이다.

행복한 사람은 행복의 이유를 따로 찾지 않아도 된다. 한 번 행복의 궤도에 오르면 대부분의 경우에 행복한 시간이 계속된다. 살아가면서 얻게 되는 작은 생채기는 얼마나 행복한가를 확인하는 기회를 제공한다. 행복할 수 없는 삶은 애써 숨겨져 있는 행복의 이유를 찾는다. 다른 사람에게는 전혀 행복의 이유가 될 수 없지만 그것마저도 찾지 않으면 삶이 무너지기도 한다. 비가 내리는 시월의 밤을 지키며 나는 행복의 까닭을 찾고 있다.

그럼에도 불구하고 삶은 계속되고 세상이 아름답다는 확신을 의심하지 않는다. 가장 슬픈 순간에 사랑을 생각한다. 그것이 삶을 계속해야 하는 이유를 만들어 준다. 의무의 고단함이 나를 지탱하기도 한다. 이것은 내 운명이고 나는 운명의 길을 따른다. 내가 가진 조건을 받아들이고 견디는 삶을 배운다. 그런 습득이 나를 지킨다.

나는 직장 생활 마지막 10년을 계약직 책임자로 보냈다. 3년마다 실적을 바탕으로 재계약을 했다. 나와 20살 차이가 나는 정규직 여직원과 같이 근무했는데 생의 활기와 지혜가 넘치는 사람이었다. 친절했고 밝았으며 안 되는 것이 없어서 내가 많은 도움을 받았다. 세상에는 이미 다 배운 사람이 있는데 딱 그랬다. 한 마디로 서로 말이 통하는 좋은 친구였다. 내가 재계약하는 데 결정적인 도움을 줬다. 정년을 앞두고 마지막 계약에 성공했을 때 고마움을 표시하려는 내게 "이건 저에게도 많이 좋은 일입니다."라며 완곡히 사양했다. 나는 그렇게 아름다운 말을 다시는 듣지 못할 것이다.

나에게는 스승이 없다. 한마디로 내 배움에는 족보가 없다는 말이다. 어떤 책을 읽으라고 가르침을 준 사람도 음악 세계의 문을 열어준 사람도 없었다. 마라톤을 하거나 지리산을 오를 때도 나는 혼자서 새벽의 길과 산에 있었다. 군대에서 구보 낙오자였던 내가 마라톤과 산을 오르는 능력에서 일정한 수준에 오른 것은 측정 가능한 것이지만 책을 읽어 세상을 이해하고 지식을 쌓는 일이나 음악을 통해 아름다움에 반응하는 것에는 설명의 수단이 없다. 그저 단순하게 마음에서 일어나는 느낌을 적을 뿐이다. 그래도 더 배우고 싶은 마음은 없다. 이제 더 배워서 어디에 쓰겠는가. 나에게는 노익장의 열정이 없다. 그것은 슬픈 일이지만 나는 여기에 쓰는 것으로 충분한 사람이다.

어둠을 따라 강한 비가 내렸다. 빗소리에 섞여 잠들었다. 비가 그치면 추운 겨울이 시작된다는 것을 누구나 알고 있다. 삶에 다가오는 슬픔처럼 알고 있지만 피하지 못한다. 보일러의 온도를 높이고 당신의 체온에 기대어 해가 일찍 떨어지는 겨울을 보내야 한다. 아내가 아픈 후 내 삶이 밝아졌다. 이제는 밝아져야 하고 슬퍼해서도 안 된다는 깨달음을 얻은 것이다. 그것은 깊은 성찰이 아니라 생존을 위한 본능이 작동한 결과일 것이다. 삶이 힘겨우면 더 사랑하는 것이다. 사랑으로 무엇도 이루지 못한다. 그래서 당신을 사랑한다.

밤이 주는 망각과 휴식의 시간이 끝났다. 행복한 사람들에게는 기다리는 하루이고 성공을 위해 달려가는 사람들에게는 기회의 시간에, 나는 피할 수 없는 의무와 만난다. 내가 맞이하는 하루에는 내가 향하는 기다림이 없고 의무가 나를 기다린다. 행복과 성공은 자신의 목소리로 말하며 반짝이지만 의무는 조용하다. 말하지 않아도 나는 내 순서를 알고 있다. 그럼에도 삶은 또 신기한 것이어서 어떤 순간에도 누가 부럽지는 않다는 것이다. 이 어둠은 내가 만나는 살아 있는 순간이고 내 마음의 어둠에 섞여 있는 아주 작은 사랑의 움직임은 오직 나만 느낄 수 있기 때문이다.

나는 알고 있다. 기쁨으로 내 슬픔을 덮을 수 없다는 것을. 아무리 어둠의 끝을 향해 걸어도 희미한 빛의 가능성은 원래 있지 않았던 것이었음을. 세상의 밤이 유일한 위로와 위안의 시간이라는 것을. 그래도 하루의 의무를 다했다. 광명에 대한 서투른 기대를 포기하고 일찍 잠자리에 누웠다. 이 고요와 격리가 주는 안식에는 한 줄의 문장도 한순간의 음악도 필요하지 않다. 나는 충분히 아득하다.

내가 살아가는 세상이 힘겹다는 현실과 마음 편한 타인의 삶이 부럽다는 것은 또 다른 문제다. 나에게 부러운 삶은 없다. 물론 누구도 내가 부럽지 않을 것이다. 이룬 것 없이 세월과 한숨만 쌓아왔지만 그래도 덧없는 시간을 지나며 마음을 쏟아 사랑하고 읽었다. 그래서 무엇이 되었는지 세상은 묻는다. 내 자부심은 어떤 길에서도 아름다움에 기우는 마음에 더하여 당신을 향한 사랑과 의무를 포기하지 않았다는 것이다. 아름다움과 사랑이 나를 떠나지 않을 때 나는 아무도 부럽지 않은 사람이 된다.

삶을 돌아보면 안 된다. 지나간 시간은 그대로 잊어야 한다. 내가 맺었던 인연도 과거의 내가 만들었던 것이다. 시간이 사람을 결정한다. 오늘 내가 만나는 시간과 사람들이 정확한 내 모습이다. 삶은 이어진다고 믿지만 세월이 가면 또 다른 나를 만나게 되고 나는 그곳에 있다. 지나간 시간은 확인하는 것이 아니다.

"나는 슬프지 않은 시를 알지 못한다.

많이 읽었으나 단 한 줄도 쓰지 못했으며

길을 달린 만큼 세상을 사랑하지 못했고

술을 마신 만큼 나를 향해 깊어가지 못했다."

오후에 모르는 번호로 전화가 왔다. 아주 오랜만에 고향 후배가 전화를 했는데 내가 15년 전에 쓴 메일을 간직하고 있다며 지금도 형을 생각하며 읽는다고 했다. 내 기억에서 지워진 편지를 후배가 보내줬다. 조금 긴 편지의 끝부분을 썼다. 나는 저렇게 살았다.

과묵하고 조금은 떨어져서 지낸 친구에게 내 작은 기쁨을
말했더니 온 얼굴에 가득한 미소로 환영하며 즐거워한다.
친구에게 저렇게 다정다감한 표현력과 표정이 있었는가를
오늘 처음으로 확인했다. 어쩌면 인간관계는 세월이나 횟
수가 아니라 미처 확인하지 못했던 마음에 담겨 있는 존중
에 있을 것이라는 생각과 나도 누구에게 그런 사람이어야
한다는 다짐이 함께한다. 눈이 내리는 오후에 고추장 마을
에 다녀왔다.

일요일에 후배의 전화를 받았을 때 후배의 첫마디가 내 목소
리가 밝다는 것이었다. 대화 중에도 몇 번이나 정말 목소리
가 좋아졌다는 말을 했다. 많은 사람들이 그렇게 말한다. 내
가 어떤 슬픔과 애달픈 일상을 견디고 있어도 나는 밝은 사
람으로 살고 있는 것이다. 나는 그것이 삶의 향상에 있는 것
이 아니라 삶에서 술이 빠져나갔기 때문이라고 믿는다. 술이
만드는 과장과 자기 연민, 우울이 나를 떠났다. 나는 많은 시
간을 술의 허망함에 기대며 살았다. 이 새벽은 어둡고 고단
하지만 그때는 참혹했다. 나는 술이 주는 짧은 위로에 기대
지 않고 다만 사람의 온기에 마음을 주며 새벽을 견딘다.

인간관계에서 세월과 빈도가 중요한 것인가를 생각한다. 허물없다는 표현이 관계의 밀도를 나타내는 좋은 말이지만 예의를 뛰어넘는다는 뜻도 있어 보인다. 세상을 살다 보면 일정한 거리를 유지하며 예의를 갖추는 관계가 더 편하고 비교의 세월과 대상이 좁아서인지 기쁨을 나누기에도 마음의 망설임이 적다. 나는 기쁨에 반응하는 마음이 진정한 관계의 방향이라고 믿는다.

내가 다녔던 학교의 교장으로 퇴직한 선생님을 10년 전쯤 만났는데 당시 선생님들이 지금까지 가르친 학생 중에서 가장 미련이 많이 남는 학생으로 나를 거론했다는 이야기를 들려주셨다. 나는 어디에서도 성공하지 못한 아까운 사람이었다. 내가 가장 많이 들었고 그만큼 싫어하는 말이 그것이다. 누구도 내가 어떤 사람인가 궁금해하지 않았으며 다만 좋은 대학에 가지 못하고 출세하지 못해 아까운 사람으로만 기억한다. 내가 바라본 세상과 나를 설명해도 그럴 리가 없다며 아깝단다. 세상의 기준은 단 하나, 성공이다.

극심한 우울도 출근하면 어느 정도는 가라앉는다. 움직이
며 사람과 관계를 유지하는 일상이 얼마나 중요한 것인가
를 실감한다. 어떤 순간에는 잊힌 사람으로 살고 싶다는 생
각을 하지만 결국은 사람 속에서 살아야 하는 것이다. 대화
를 나누지 않고 지나가는 사람과 인사를 나누는 것만으로
도 마음이 부드러워진다. 세상은 사랑의 인연으로 힘들 때
가 많지만 기댈 곳은 또 사랑이기 때문이다.

내가 전 직장에서 근무할 때 자주 뵙던 노부부가 계셨다.
딸에게 아이가 없어 입양해 키웠는데 7년이 지나 아이를
낳았단다. 딸 부부는 물론 가족 모두가 입양한 아이가 복을
불러온 것이라며 더 예뻐하고 귀하게 키운다는 말씀을 들
려주셨다. 입양한 손주 이야기를 하면서 환하게 웃으시던
두 분의 모습이 선명하다. 험한 일을 많이 겪으셨는데 손주
이야기 앞에서는 늘 밝으셔서 오래 기억한다.

바다에 파도가 거칠거나 바람이 강하게 불어 주의보가 떨어지면 섬은 외부와 고립되었다. 여객선으로 3시간 가까이 걸리던 섬에는 하루에 한 번 오는 배가 끊기는데 겨울에는 보름 동안 배가 들어오지 않은 때도 있었다. 오랫동안 배가 끊긴 섬은 고립으로 황량했다. 섬에서 편지를 썼다. 종이 위에 편지를 쓰던 시절은 섬에서 막을 내렸다. 봄이면 바다가 안개에 덮여 배가 오지 않은 날이 많았다. 비가 내리는 밤에 아득한 시간 저편의 바다와 파도 소리를 생각한다. 섬에서 보낸 한 시절에 나는 무책임하게 행복했다.

사람은 언제 늙는 것일까. 나는 체력적으로 약해졌다는 느낌이 없다. 지금도 산을 오르는 속도나 지구력에서 나를 앞서는 사람은 나이를 불문하고 주위에 없다. 나는 책을 구입하는 고객이며 지적 호기심을 포기하지 않는다. 나는 사랑에 눈물 흘리고 슬픔에 반응한다. 계절 앞에서 새로운 기다림으로 설렌다. 세상에 대한 예의를 지킨다. 그리고 몸을 움직이며 돈을 번다. 한 사람의 삶에는 여러 세계가 있다.

언제 육지에 나가세요? 섬에서 근무하던 90년대의 어느 날 술집에서 일하고 있던 여성분이 어렵게 입을 열었다. 그러고는 말린 오징어라며 검은 비닐봉지를 내밀었다. 섬에는 술집이 여러 곳 있었는데 배가 바다에 나가지 못하는 주의보가 내리거나 사리 때면 노랫소리가 밖으로 흘러나왔다. 여기서는 모두가 저에게 반말을 하는데 유일하게 존댓말을 해줘서 고마웠어요. 그것은 귀하고 슬픈 선물이었다. 나중에 어떤 선원이 빚을 갚아주어 그가 섬을 떠났다는 이야기를 들었다. 언제인가 썼던 기억이 있는데, 늘 마음에 남아 있는 이야기라 또 쓴다.

5

위로

내가 포기하지 않았던 것은

아름다운 세상에 대한 확신이었다.

●

가난하고 삶이 힘겨울 때

내가 포기하지 않았던 것은

아름다운 세상에 대한 확신이었다.

가난하다고 책을 사지 않으면

더 가난해진다는 것을.

삶이 힘겨워 음악을 사치라고 여기면

다시는 일어서지 못한다는 것을

늘 잊지 않았다.

어제 듣지 못했던 FM 실황 음악 말러 3번을 다시 듣기로 감상한다. 말러는 인간의 탄생과 소멸을 말한다. 영원할 수 없는 생명의 슬픔을 들려준다. 돈을 받으면서 음악을 듣는 호사를 누린다. 자동차 차단기가 없는 아파트의 밤은 여유롭다. 책과 음악으로 경비실의 밤을 채운다.

세상에는 어둠이 내리고 나는 그 어둠을 따라 브람스 피아노 5중주를 듣는다. 피아노와 2바이올린, 비올라, 첼로가 담아내는 것은 삶의 애환인가. 사랑의 애절함인가. 어둠의 빛깔을 닮은 음악이 내가 바라보는 모든 풍경을 채운다. 정말 한없이 감상적이고 한없이 가라앉고 싶은 초저녁이다.

가난하고 삶이 힘겨울 때 내가 포기하지 않았던 것은 아름다운 세상에 대한 확신이었다. 책을 읽고 음악을 듣고 길을 걸어야만 아름다운 세상이 열린다는 것을. 가난하다고 책을 사지 않으면 더 가난해진다는 것을. 삶이 힘겨워 음악을 사치라고 여기면 다시는 일어서지 못한다는 것을 늘 잊지 않았다.

돈은 단순한 일을 해서 벌고 쓸 때는 수준 높은 곳에 쓰라는 말이 있다. 아파트 경비원으로 벌어서 책과 클래식 CD를 사는 데 쓰면 정답일까. 술과 멀어지니 내가 직접 쓰는 돈이 거의 없다. 술을 마시고 실수를 하지 않았다고 자랑하면 술을 마신 것이 실수라고 말한다. 내가 할 말은 아니다.

일요일 아침 클래식 FM의 모차르트 피협 20번을 듣는다. 모차르트는 아무리 밝고 경쾌해도 마침내 슬프다는 말을 믿는다. 음악의 본질은 슬픔이 아닐까. 그래서 모차르트의 음악이 본질에 충실한 것이고. 슬픔을 저렇게도 우아하게 표현하는 모차르트를 들으며 슬픔이 전하는 위로의 메시지를 읽는다.

독립된 공간에 내 서재를 마련해 주고 싶었던 아내의 노력으로 나만의 공간이 생겼고 나만의 세계에서 책을 읽고 음악을 들으며 잠을 잔다. 볼륨을 높여 음악을 들어도 되는 공간에서 지금 내가 가장 좋아하는 메조소프라노 엘리나 가랑차의 공연 영상을 본다. 공간이 행복이다.

술을 마시던 시절에는 마음이 힘들면 술을 마셨고 술을 통하여 위안을 받았다고 생각했다. 하지만 술은 또 다른 문제의 시작이었고. 그러다 술의 자리를 음악이 차지했고 오늘처럼 힘겨운 날에 FM 실황 음악의 머레이 페라이어의 연주에서 어떤 정화의 순간을 느낀다. 참 잘했다. 음악을 만나서.

어떤 음악을 들을까 막연할 때 베토벤 현악 4중주를 듣는다. 베토벤은 슬픔이 어떻게 삶을 지탱하는지 알고 있다. 나는 삶의 영광과 환희를 알지 못한다. 나는 베토벤이 펼쳐놓은 슬픔을 부여안고 오월의 오후를 보낸다. 기쁨보다 슬픔이 삶에 가깝다고 믿는 사람으로서 베토벤의 음악을 이해한다.

오전에 FM에서 라두 루푸가 연주하는 슈베르트 즉흥곡 D935를 들으면서 울었다. 슬픈 운명을 담담하게 받아들이고 그 운명 위를 모르는 척 무심코 걸어가는 슈베르트가 라두 루푸를 통해 내게 다가왔다. 나는 기꺼이 그의 손을 잡았고 눈물이 흘렀다. 저녁에는 말러 6번이 방송된다. 좋은 날이다.

슈베르트는 채우기 위해 듣는 음악이 아니다. 삶을 빛나게 하거나 아름답게 치장하기 위해서 듣는 음악은 더욱 아니다. 그것은 꼭 비어 있어야 할 이유가 있는 결핍 앞에서 듣는 음악이다. 오늘의 슬픔이 손상당하지 않고 온전한 슬픔으로 내 마음에 자리하기를 바랄 때 나는 슈베르트를 듣는다.

평소보다 30분 일찍 일어났다. 밤새 비가 내렸다는 것은 밤새 뒤척였다는 증거가 된다. 불을 켜지 않은 경비실에 고요히 앉아 FM의 브람스 피아노 4중주를 듣는다. 비가 내리는 새벽에 듣는 브람스는 더 깊고, 더 아프다. 진정으로 쓸쓸했던 사람이 위로를 줄 수 있다. 브람스는 그런 음악이다.

창문을 열어 놓고 브람스 피협 1번을 두 번 듣는 사이 세상에는 어둠이 내렸다. 이제 창밖이 보이지 않는다. 실컷 울고 난 후의 맑은 기분을 느낀다. 브람스는 위로를 말한다. 브람스는 눈물의 이유를 묻지 않는다. 설령 음악을 듣고 있지 않은 순간에도 그것은 머릿속을 맴돈다. 쉬는 날이 다한다.

땀을 흘렸다. 내가 땀 흘리는 사람으로 살아 있다는 것은 거대한 운명에 힘입은 결과일 것이다. 모든 행운의 결과를 외면하고 상처에만 집착하는 것이 인간이다. 음악으로 슬픔을 누르고 책으로 세상을 이해하는 시간과 공간이 있는 행운에 감사한다. 쉽게 주어지는 행복이 아님을 잘 알고 있다.

딸의 위로 전화를 받고 마음의 우울이 많이 가라앉았다. 오후에 병원에서 나와 아내와 숲길을 걸었다. 그리고 소나기 내리는 밤에 슈만을 듣는다. 슈만을 들으면 눈가에 눈물이 고이지만 결코 흘러내리지는 않는다. 슈만은 그 경계를 구분하며 슬픔과 눈물 사이에서 한쪽으로 치우치지 않는다.

살아 있는 모든 것들은 결국 낡는다. 요절하여 천재가 되는 것은 그에게 낡은 반복이 없기 때문이다. 오랫동안 글을 써 온 사람들을 보면 초기작이 훌륭한 경우가 많다. 시인은 많은 경우에 더 그렇다. 모든 글이 탄생하는데 기본이 되었던 세계를 설명하는 책 〈글이 만든 세계〉를 읽는다.

바흐의 바이올린과 하프시코드를 위한 소나타는 슬픔을 위한 음악이다. 인간의 어떤 위로도 슬픔과 떨어져 있을 때 바흐는 다가와서 흔들리는 어깨를 다독인다. 헨릭 쉐링의 바이올린과 헬무트 발햐의 하프시코드는 슬픔의 끝까지 가지만 결코 눈물에 이르지는 않는다. 눈물은 내 몫으로 남는다.

위로

내가 경주를 사랑하여 몇 번이나 방문했던 것은 거기에 박목월의 숨결이 베어 있기 때문이다. 목월의 삶을 지탱했던 아버지로서의 의무와 지난 사랑에 대한 아득함에 마음이 닿아있다. 나는 목월이 사랑을 기억하는 유일한 시인이라고 믿고 있다. 딸과 아들이랑, 아내와 갈 때마다 그 사랑을 말했다.

오늘 아침부터 온수 샤워를 시작했다. 피부로 느끼는 여름이 끝난 것이다. 초가을이라 불러도 좋은 아침에 〈우편함 속 세계사〉를 펼쳤다. 편지를 쓰며 사랑을 시작하고 편지를 기다리며 사랑이 깊어가던 시절을 살았다. 이제 누구도 "그리운 당신에게"로 시작되는 편지를 쓰지 않는다. 당신이 없다.

며칠 동안 책을 읽지도 음악을 듣지도 못했다. 무기력과 가슴의 통증이 찾아왔다. 심한 두통에 시달렸지만 약을 먹지는 않았다. 출근해서는 많이 움직이며 마음을 달랬다. 시간이 주는 위안에 힘입어 다시 책상에 앉아 음악을 들으며 책을 뒤적인다. 초가을의 바람이 창문을 넘는다. 그래서 산다.

브람스 피협 1번을 좋아한다. 눈물과 탄식이, 한숨과 그늘이 하나의 일정한 흐름으로 음악에 이야기를 만들어간다. 절정은 극복을 위하여 있지 않으며 섣부른 화해나 위안을 말하지도 않는다. 나는 그렇게 깊어가는 음악이 좋다. FM에서 라르스 포그트의 연주를 듣는다. 그는 훌륭한 피아니스트다.

최고의 식품은 밥상의 채소와 양념류라고 생각한다. 독성이 적은 식물이 식용으로 밥상에 오르게 되었을 것이다. 자연이 안전의 보증이 아니며 유기농이 갖고 있는 위험을 간과해서도 안 된다. 〈내추럴리 데인저러스〉는 음식에 대한 상식을 말한다. 나는 이 책을 읽고 자연에 대한 환상을 버렸다.

세상이 밤으로 가는 풍경을 바라보며 브람스 바이올린 협주곡을 들었고 어둠이 제 자리를 차지하고 있는 밤에는 크로이처 소나타를 듣는다. 가슴 벅찬 행복과 보람된 성취의 기억을 회상하지 못하는 나는 슬픔의 빛깔을 찾아 음악을 듣는다. 나는 가득하여 넘치는 삶을 살아볼 수 없었다. 그래도 좋다.

수확을 앞두고 있는 논을 둘러보며 이미 흘러버린 시간과 만난다. 저 엄숙한 순환 앞에서 나는 얼마나 작은 사람인가. 시월의 밤에 바람이 불고 나는 나른한 피로를 안은 채 쇼팽을 듣는다. 쇼팽은 슬프고 애절하며 한스러운 세계다. 쇼팽을 따라 어둠은 자리를 잡고 나는 그 어둠을 바라본다.

모차르트 레퀴엠을 듣는다. 세상의 진혼곡은 죽은 자의 영혼을 위로 하기 위해 연주되지 않는다. 레퀴엠의 슬픔은 언제나 살아 있는 사람의 몫이다. 신을 불러 망자의 영혼을 위탁하는 어떤 행위도 결국은 살아 있는 사람에게 가 닿는다. 모차르트는 죽음을 통해 삶을 설명한다. 살아 있어 슬프다.

아름다운 것은 슬픔을 담고 있어야 한다고 믿는다. 비운과 비탄의 그림자가 드리워지지 않는 아름다움은 진실로 아름답지 않은 것이다. 차이코프스키 교향곡 4번을 들으며 통곡을 했던 기억이 있다. 가을의 밤, 경비실에서 FM을 통해 다시 그 슬픔을 들으며 내 마음을 준다. 슬픔으로 맑아진다.

평일에는 클래식 FM 명연주 명음반과 FM 실황 음악만 듣고 가끔은 주말 오전 프로도 듣는다. 브람스가 가을에 어울린다면 말러는 살아 있는 모든 생에 어울린다. 탄생과 삶의 고난을 지나 죽음에 이르는 생명의 과정이 말러 음악을 이룬다. 오늘 실황 음악은 말러 5번이다. 말러를 기다리는 밤, 설렌다.

퇴직 후 일자리를 구할 때, 선택의 여지가 많지는 않았지만 내 시간을 가질 수 있는 곳을 찾았다. 책을 읽고 음악을 듣는 일은 내 삶에서 중요한 부분이다. 몇 군데를 지나서 이곳 경비실에 자리를 잡았다. 사무실에서 음악을 듣고 책을 읽을 수 있는 환경은 더 이상 바랄 게 없다. 행운에 감사한다.

로잘린 투렉이 연주하는 바흐의 골드베르크 변주곡을 듣는다. 세상을 떠난 친구와 마지막 통화에서 친구는 이 연주를 들려줬다. 바흐의 음악은 인간과 신을 연결하며 유한한 슬픈 운명의 인간을 따뜻하게 위로한다. 나는 골드베르크 변주곡을 들을 때 친구를 생각하고 어떤 절대를 그리워할 것이다.

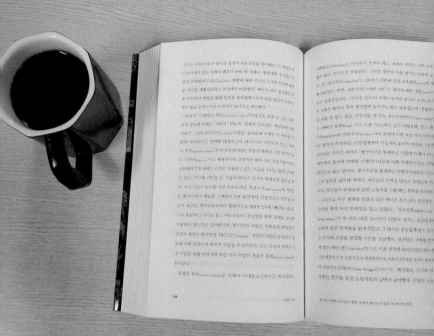

베토벤의 크로이처 소나타를 듣는다. 볼프강 슈나이더한의 바이올린에는 상상력을 가로막는 언덕이 없다. 열정과 슬픔의 어떤 순간에도 바이올린은 바람결을 따라 부드럽게 흐른다. 그의 연주는 슬픔을 담고 있어야 할 때 슬프지만 사랑의 정점에 있을 때도 여전히 슬프다. 슬픔만이 나를 위안한다.

슈베르트 즉흥곡을 듣는다. 나는 또 그렇게 슬픔의 언덕에서 세상을 내다본다. 한 달 넘도록 음악을 들을 수 없었다. 이제 음악을 듣는 것은 슬프지 않아서가 아니라 새로운 슬픔에 젖어 들었기 때문이다. 아내가 신은 우리에게 견딜 만큼의 시련을 준다고 말했다. 나는 아무런 답변도 하지 않았다.

멘델스존의 바이올린 협주곡은 봄을 이야기한다. 그 봄은
아득하고 그리우며 눈물 나는 봄이다. 연분홍 치마가 봄바
람에 휘날리는 기다림의 봄이다. 봄이 깨우는 모든 막막함
이 그 안에 다 담겨있다. 모든 봄의 이야기를 FM에서 정경
화의 연주로 듣는다. 하루 종일 듣고 싶은 막막한 봄의 이
야기다.

예전에 쇼팽은 내가 살아가는 세상과는 많이 다른 세계였
고 한마디로 차갑고 정이 가지 않는 음악이었다. 시끄럽던
말러는 쉽게 다가왔지만, 쇼팽에는 마음을 주기가 어려웠
다. 이제는 쇼팽이 청승맞고 한스러우며 삶의 탄식과 한숨
이 담겨있는 이웃의 음악으로 들린다. FM에서 최고의 쇼
팽을 들었다.

한때는 쇼팽 피아노 협주곡에 정이 가지 않았다. 원래 아름다운 음악이 있었던 것이 아니라 내가 마음을 줘야 아름다워진다. 시름 가득한 봄밤에 세상에는 꽃이 피고, 꽃이 진다. 나는 소콜로프의 쇼팽을 듣는다. 슬프다는 것, 애틋하다는 것, 눈물이 고인다는 것은 소콜로프의 쇼팽에 쓰는 말이다.

피아노 건반 위에 시를 쓰는 마리아 조앙 피레스의 모차르트 피협 17번을 듣는다. 음악의 본질은 슬픔이라고 생각한다는 임윤찬의 말이 실린 글을 읽고 공감했던 적이 있다. 모차르트 17번은 음악은 슬픔이라는 정의에 부합한다. 슬픔은 맑고 투명하며 찬찬한 것이다. 6월에 들으면 6월의 노래가 된다.

경비실의 하루가 간다. 주말 근무는 풍진세상에서 벗어나 혼자만의 시간을 갖는 정신의 소풍이다. 아침부터 음악을 듣고 책을 읽었다. 쓸모없는 책을 읽는다. 먹고사는 문제와 관계없는 책을 읽을 때 책을 읽는 일이 즐거워진다. 읽어서 깨달음을 얻거나 써먹을 곳도 없다. 오늘도 그저 읽었다.

비가 내리는 토요일 아침, 경비실에서 슈베르트 즉흥곡을 듣는데 눈물이 고인다. 삶은 유한한데 거쳐야 하는 슬픔과 눈물이 이다지도 많다는 말인가. 살아가는 일은 기쁨과 영광, 환희보다는 슬픔에 더 기울어 있다. 음악은 더 슬프기 위해 듣고 책을 읽으며 그 슬픔을 다스린다. 삶이 늘 그렇다.

밭과 산에서 하루를 보내고 말러 2번을 들었다. 눈물이 고였다. 운동은 순간을 견디게 하지만 노동은 밤을 견디는 힘을 준다. 노동의 피로에 힘을 얻어 고단하고 슬픈 말러를 들었다. 운동의 고통은 쉽게 포기 가능하지만, 노동의 시간에는 의무가 따른다. 나를 지탱하는 힘은 언제나 의무였다.

책을 정리하고 있다. 꿈을 다듬고 있는 것이다. 그때는 옳았으나 지금은 아닌 책을 정리하다 다시 찾지 않을 책을 버리고 있다. 책장을 가득 채우고 방바닥에 쌓여 있던 책을 계속 버린다. 단순하고 단정한 서재를 갖게 될 것이다 버려야 채울 수 있다던가. 미련을 버린다. 과거의 나와 결별한다.

오늘은 무슨 행운인가. FM 실황 음악이 슈베르트다. 피아노 소나타 20번 2악장을 듣는다. 저 애달픈 삶의 이야기는 내가 음악을 듣는 이유를 깨닫게 한다. 많은 슈베르트 음반을 갖고 있지만 라디오에서 들으면 더 깊게 마음을 흔든다. 슈베르트는 슬픔을 만들고 슬픔을 위로한다. 그것은 모두 진실이다.

모차르트 레퀴엠을 듣는다. 죽은 자를 위로하는 진혼곡은 언제나 살아 있는 사람의 영혼에 닿는다. 살아 있는 날들의 애달픔이 만들어 내는 모든 소리는 마지막에 여기 머문다. 우리는 그것을 영원이라고 부른다. 얼마나 더 깊게 슬프면 영원에 가 닿을까. 죽은 자를 위한 음악을 나는 살아서 듣는다.

일요일의 경비실에서 커피를 마신다. 위장의 상태가 호전되면 조심스럽게 커피를 시작한다. 그것은 유혹이고 위로이며 내게 허락된 최소한의 일탈이다. 술을 마시는 동작에서는 어떤 자유도 느끼지 못하지만, 커피를 마시거나 담배를 피우는 모습은 참기 어려운 끌림이 있다. 커피는 가을 같은 액체다.

오늘은 8건의 책 주문이 들어왔다. 아내가 작은 서점이라고 한다. 그렇게나 책을 많이 사더니 이제는 처리하느라고 애쓴단다. 한 달 넘게 버리고 인터넷에 판매할 책만 남았다. 번역서가 대부분이다. 서재라고 부르는 나만의 공간에서 가득한 책을 바라보며 행복한 시간도 있었다. 책을 정리하면서 내가 지나온 세계를 돌아본다. 많이 샀고 많이 읽었다. 책을 통해 세상을 바라보고 다양성을 이해했다. 내 마음에서 한 시대가 흘러가고 있다.

커피를 설명하는 말은 넘치고 찬사는 끝이 없다. 만져지지 않고 눈에 보이지 않아 모두를 마음에 담을 수 없는 그리움을 커피라고 부른다. 커피는 그리움의 다른 이름이다. 한 잔의 커피와 마종기의 책을 들고 출근했다. 얼마 전에 댓글에 마종기의 시 '전화'를 말한 분이 떠올라 골랐다. 나는 마종기의 시를 읽으며 쓸쓸함이라는 단어를 떠올린다. 그는 깊어가는 가을에 어울린다. 넘치지 않는 절제가 아름다운 그의 시를 읽는다. "커피잔에 뜬 바흐의 음악을 마신다." 그의 시를 따라 나는 커피잔에 남아 있는 그리움을 마신다.

오랜만에 갈아서 내린 커피를 마신다. 트위터 따라 하기의 결과다. 그라인더에 커피를 갈아서 뜨거운 물을 붓고 내리면 가을을 닮아 그리움 피어나는 액체가 만들어진다. 원래는 나무 열매에 지나지 않았던 씨앗이 물을 만나 마음을 만들고 당신을 만든다. 우리는 원래 단순한 생명이었다. 당신을 향한 사랑과 그리움이 인간을 만들었다. 사랑에 고개를 숙이며 커피를 마신다.

지난밤에 내린 눈이 붉은 산수유를 살짝 덮었고 늦게 피어 있던 국화 위를 지나다 나무와 차창에 쌓였다. 눈이 내린 아침에 지난밤처럼 뜨거운 물로 샤워를 하고 라흐마니노 프 피아노 협주곡 3번을 들었다. 그것은 아득한 것이고 희미한 것이어서 세상의 모든 사랑에 어울렸고 세상의 모든 슬픔에도 빈틈없이 잘 맞았다. 마르타 아르헤리치와 커피를 만나는 아침은 내가 상상하는 최고의 사치에 가깝다. 눈이 내린 아침이다.

11월은 쓸쓸하기 위해 존재하는 달이다. 그 조용한 저녁에 모차르트를 듣는다. 해마다 낙엽이 지는 가을밤에 듣던 베토벤 첼로 소나타 3번을 올해는 한 번도 듣지 않았다. 음악은 마음을 따라간다. 슈베르트와 모차르트의 음악에 마음이 가는 것은 그들의 음악과 삶이 슬픔에 닿아 있기 때문이다. 내가 음악을 듣는 것은 슬픔에 기대어 슬픔을 잊고 싶어서이다. 모차르트 현악 4중주 15번은 요즘 내 슬픔의 가까이에 있는 음악이다. 저 끝이 없는 슬픔을 만들어낸 위대한 정신에 내 밤을 바친다.

일요일의 일상을 시작한다. 나를 지키는 진정한 힘은 일상의 유지에서 출발한다. 살아 있는 날에 안식은 없어도 하루하루의 낡고 진부한 반복을 통하여 또 한 걸음을 시간 속으로 옮긴다. 그런 날이 쌓여 세월을 이루고 어느 시간의 끝에서 나는 사라질 것이다. 책을 읽는다. 새로운 세계를 읽지 않고 지난 시간을 읽는다. 이제는 발전을 멈춘 채 그대로 머물러 있는 것이다.

FM에서 말러 교향곡 3번을 듣는다. 오늘은 책을 읽다 자주 일어나 건물 주변을 걸었다. 하루는 쓸쓸하고 마음은 가라앉아 있었지만, 밤에 말러를 만나는 것으로 오늘은 하루의 몫을 충분히 했다. 나는 말러라는 음악이 존재하는 세상을 모르고 살았다. 어느 날 시끄러운 음악을 들었고 말러를 만났다. 그것이 아름다운 세상을 그리고 있다는 것을 느끼는 데 오랜 시간이 걸리지는 않았다. 말러 3번은 인간이 음악으로 표현하고자 했던 생명과 자연의 많은 이야기를 들려준다. 일요일의 경비실에서 말러 3번을 듣는 행운에 감사한다.

클래식 음반 수 천장을 갖고 있지만 결국 가까이 두고 듣는 CD는 50장 정도라는 어느 음악 애호가의 이야기를 들은 적이 있다. 아는 사람은 많이 있지만 기쁨을 나눌 사람은 드물고 결국은 누구나 혼자서 살아간다. 그래서 책을 읽고 음악을 듣는다. 날마다 같은 음악을 들어도 마음의 흔들림은 늘 새롭다. 어쩌면 한 사람을 오래 사랑할 수 있는 이유도 늘 새로운 흔들림이 있기 때문일 것이다. 나는 오늘도 바흐라는 위안을 듣는다. 따뜻한 위로가 눈물겨운 밤이다.

깊은 산속에 있는 절간의 밤처럼 어둠이 내리면 내 방은 늘 적막하다. 정확하게 말하면 내가 마주하는 저녁이 고요하고 쓸쓸한 것이다. 12월을 맞아 한 해를 마무리하는 어떤 계획도 없다. 언제나 오늘이 가장 힘든 법이지만 올 한 해는 내가 살아오며 겪었던 모든 절망과 한숨 위에 있었다. 그래도 사랑을 말하고 아름다운 세상에 마음을 주며 살았다. 요요마가 연주하는 아르페지오네 소나타를 듣는다. 너무 아름답다는 이유로 오랫동안 듣지 않기도 했는데 오늘 밤은 적막에 어울리며 눈물을 부른다. 이런 순간을 사랑한다.

삶이 힘겹고 슬프다고 하면서도 낮잠을 자고 음악을 듣는다. 커피를 마시고 아내와 일주일에 두세 번은 밖에서 점심식사를 한다. 출근해서 밤을 보내는 직장도 있으며 사고 싶은 책이나 음반을 구입하는데 별 망설임이 없다. 이틀에 한 번은 아내와 새벽길을 걸으며 사랑을 이야기하고 세상을 돌아본다. 형제들이 마음을 모아 성원하고 아는 사람들의 애경사 연락이 이어진다. 얼마나 근사하고 빛나는 삶인가. 그런데도 살아가는 일이 힘겹고 슬프다고 쓴다. 경비실의 밤이 깊어간다.

나에게 독서는 먹고 사는 것과 관계없는 책을 읽는 것을 말한다. 학자가 전공 분야의 책을 읽는 것은 직업에 충실한 행위이며 작가의 독서 또한 그 범위 안에 있는 것으로 여긴다. 이제 독서는 돈을 벌고 성공의 길을 안내하는 책을 읽는 것으로 자리를 잡아간다. 검색의 시대를 살아가면서 궁금한 것이 없어지고 검색을 통해 이미 모든 것을 알고 있다고 생각하는 사람들은 더 이상 책을 읽지 않는다. 그래서 인간의 삶은 더 좁아지고 바라보는 세상도 작아진다. 그래도 다들 더 넓은 세상을 살고 있다고 믿는다. 뜬금없이 떠오른 생각을 적는다.

근무를 마치고 돌아오며 언제나 내 기쁨을 묻는 친구를 만나 커피를 마셨다. 기쁨이 원래 넘치게 자리를 잡고 있었던 것이 아니라 친구가 챙겨서 묻는 바람에 희미했던 것들이 드러나고 모습을 갖춰서 기쁨이 되었다. 비어있던 내 공간의 문을 열고 바흐의 영국모음곡을 듣는다. 짐짓 모르는 척 슬픔을 지나는 아쉬케나지의 피아노 건반이 누구도 관심을 두지 않았던 그늘 아래 눈물을 보여준다. 어떤 눈물이 삶을 적실 때 나는 살고 싶어진다.

성탄의 밤에 말러 3번을 듣는다. 이 교향곡의 유일한 단점은 100분의 연주 시간이 너무 빨리 지난다는 것이다. 지옥의 시간은 더디 가고 천국의 시계는 빠른 것이다. 여름과 꽃과 천사의 이야기에서도 슬픔을 찾아 읽는 나는 말러를 들으며 생명의 한 평생이 지나는 사랑과 소멸의 슬픈 과정을 생각한다. 말러의 모든 음악은 3번에서 재현된다. 번스타인의 말러는 음악과 세상을 향하여 열려 있다. 성탄의 밤에 탄생과 사랑, 자연에 관한 음악을 듣는 시간이 황홀하다.

올해에 책을 정리했다. 어느 정도는 팔았고 많이 버렸다. 책을 책장에 보관하는 것은 읽었던 세계를 잊지 않기 위해서다. 책의 제목만 봐도 절반은 읽은 거라는 움베르토 에코의 말은 책을 대하는 내 마음을 말한다. 아내의 말을 따라서 흔적은 남긴다는 뜻으로 500권 정도를 남겼다. 많은 세계가 나를 떠났지만, 그것은 세월을 대하는 내 방식이다. 또 책을 산다. 더 읽어서 쌓을 무엇도 없지만 살아 있으니 읽는 것이다.

점심 도시락을 먹는 것은 삶이고 식후에 믹스 커피를 마시는 것을 삶의 질이라고 부른다. 혼자서 도시락을 먹다 밥의 바닥이 보이면 어떤 기대감이 자리를 잡는다. 이것이 결코 끝이 아니라는 것을 생각하는 것이다. 점심 식사는 다음 동작을 위한 준비 단계에 지나지 않는 것이라는 생각이 확신으로 바뀔 때 믹스 커피는 식사만으로는 채울 수 없었던 다음을 만든다. 오늘도 눈에 보이지 않으며 마음에도 잡히지 않는 막연함을 커피라고 이름하여 마신다.

오전에 일찍 책상에 앉아서 쇼팽의 왈츠를 듣는다. 오랫동안 쇼팽의 음악은 정서적으로 받아들이기 어려운 서양이었다. 클래식 음악을 들으면서도 신토불이라는 아름다운 전통을 가슴에 간직하고 살았던 나에게 쇼팽은 낯선 이방의 소리였다.

나이를 먹은 탓일까. 세월을 따라 쇼팽의 음악이 마음에 스며들었다. 청승맞고 슬프며 때로는 한스럽기도 한 쇼팽을 듣는다. 나는 쇼팽의 왈츠가 어떤 음악인지 모른다. 다만 내 마음을 적시며 내 슬픔을 잔잔하게 흔드는 피아노 소리를 들을 뿐이다. 나는 눈물과 가까워 슬픔에 닿아 있는 세계를 좋은 음악이라고 믿는다.

일요일의 경비실에는 언제나 음악과 커피가 있다. 읽을 수
있는 기능과 바라보는 즐거움을 동시에 갖춘 책도 준비되
어 있다. 한가하고 사치스러운 경비원의 휴일 근무가 시작
되었다. 아파트 경비원 시절에는 100분이 걸리는 말러 교
향곡 3번을 끊김이 없이 듣기도 했으며 10개 일간지를 읽
었고 책상에는 늘 책이 있었다. 관리소장은 나에게 그렇게
열심히 일하지 않아도 된다고 말했다. 오늘도 나는 움직이
고 읽으며 살아 있는 날의 하루를 보낸다.

퇴근해 만난 아내는 핏기 없는 얼굴로 힘들다고 했다. 밖에
나가서 점심을 먹자고 했지만 이대로 있게 해달라며 울었
다. 결국 나도 울었고 아내가 일어났다. 식사 후에 들른 딸
의 아파트 지하 주차장에서 브람스 교향곡 4번이 흐르고
있었다. 나는 다시는 그렇게 눈물 나는 브람스를 듣지 못할
것이다. 그것은 내 마음을 보듬어 쓰다듬으며 슬픔으로 더
깊게 아름다웠다. 저녁에 아내가 남편다운 남편이라고 말
했고 나는 브람스를 듣는다.

토요일의 경비실에 출근해 커피를 마시며 FM을 열었더니 라흐마니노프 피아노 협주곡 3번이 흘러나온다. 호로비츠의 연주다. 나는 이것을 기적이라고 부른다. 이 완벽한 조화의 아침에 나는 살고 싶어진다. 인간이 다른 인간을 위하여 이렇게 큰 감사와 감동을 남겨놓았다. 닿을 수 없는 그리움과 이를 수 없는 아름다움의 세계를 듣는 아침을 기억한다.

전자책을 한 권도 구매하지 않았고 음악도 CD를 산다. 필요할 때 어디서나 읽을 수 있고 들을 수 있는 방법을 알고 있지만 눈에 띄고 손에 잡히는 것들에 마음이 간다. 책이나 CD를 꽂아 놓으면 제목을 둘러보는 것으로 그 세계를 다시 생각하고 잊지 않는다. 넘치던 책을 정리하여 많은 세계가 떠나 빈칸이 있는 책장을 바라보며 채우지 않아도 좋을 마음의 여백을 느낀다.

오늘은 아침에 퇴근해서 하루 종일 밖에 나가지 않았다. 저녁 식사를 마치고 아내 방 낮은 의자에 앉아 이야기를 나누고는 내 공간에서 마티아스 괴르네가 부르는 겨울 나그네를 듣는다. 그립고 그리운 사랑은 아득한 꿈이었고 어떤 시절은 다정한 인사도 없이 지나가 버렸다. 오늘 당신을 바라보는 순간도 영원을 향하고 있을 것이다. 추운 겨울밤에 겨울의 노래를 들으며 당신을 향한 마음에 내 눈물을 더한다.

모차르트 피아노 협주곡 20번을 조성진의 연주로 듣는 아침을 경비실에서 맞는다. 세상의 아침이 다 같지 않음을 증명하는 일은 이렇게 일어난다. 모차르트가 표현하는 아름다움의 모든 것이 담겨 있는 피아노를 들으며 내가 마주하는 아침의 풍경 위로 내리는 고요한 슬픔에 마음을 맡긴다. 오늘의 세상은 20번과 조성진에 의해 슬픔의 진실에 더 가까워진다. 슬픔이 음악을 듣는 이유임을 조성진이 증명하는 시간에 나는 커피를 마신다. 좋다는 것은 이런 순간을 이르는 말이다.

월요일 오전에 〈산에 오르는 마음〉을 읽는다. 미지의 자연에 도전하는 사람들의 이야기에서 인간의 무모함이 이룬 도달의 역사를 읽는다. 목숨을 걸고 새로운 세계를 향하는 사람들의 이야기에 공감하며 폭설이 내린 새벽에 혼자서 올랐던 지리산의 장엄했던 풍경을 그려본다. 우리는 곱고 정리된 세계를 추구하지만, 책을 읽으며 거칠고 투박한 세계에 매혹당한다.

겨울과 봄을 이어주는 비가 내리는 밤에 슈베르트 피아노 소나타를 듣는다. 무라카미 하루키가 제일 좋아한다는 17번이다. 요즘에 17번을 몇 번 들었다. 자주 듣는 곡이 아니어서 익숙하지 않은 세계의 서먹함과 작은 떨림으로 듣는다. 슬픔과 기쁨 사이를, 낮과 밤의 시간을 지나는 피아노는 어떤 감정도 강요하지 않는다. 슈베르트 피아노 소나타 연주는 감정선을 잡기가 어렵다는 글을 읽은 적이 있다. 나는 새로운 계절을 기다리는 마음과 밤의 빗소리를 담아 듣는다.

일본의 지휘자 오자와 세이지가 세상을 떠났다. 아마도 동양인으로 그와 같은 반열의 지휘자가 다시 등장하는 데는 또 한세월이 필요할 것이다. 빈필의 신년 음악회를 지휘한 첫 번째 동양인이었고 빈필과 베를린필의 주요 지휘자 중 한 사람이기도 했다. 악보를 암기하는 탁월한 능력을 바탕으로 맨손으로 지휘하는 영상 속의 그를 많이 만났다. 또한 시대가 흘러가고 있다.

왜 에베레스트에 오르려고 하느냐는 질문에 Because it is there라고 대답했다는 영국의 등반가 조지 맬러리에 관한 글을 읽었다. 1920년대의 열악한 등반 여건에서 에베레스트 도전 세 번째에 실종된 그의 이야기를 읽으며 인간이라는 존재를 생각했다. 그리고 내가 읽었던 섀클턴이나 '희박한 공기 속으로'를 떠올렸다. 작은 세상에서 안주하는 나는 인간의 무모함을 읽으며 영원을 생각했다. 한동안 나는 그런 세계에 마음을 기울이고 있을 것이다.

한동안은 베토벤의 음악을 듣지 않았다. 그가 생전에 성공한 사람이었다는 것이 내 좁은 마음에 걸렸기 때문이다. 시대가 겹쳤던 슈베르트의 슬픔에 더 마음이 기울어 있었다. 합창 교향곡을 외면하고 연말과 새해를 맞기도 했다. 며칠째 밤이면 베토벤의 함머클라이버와 소나타 31번을 듣는다. 어떤 삶의 위대함도 결국 쓸쓸한 뒷모습을 남기고 사라진다. 베토벤의 음악이 마침내 환희의 송가를 부르기도 하지만 나는 슬픔을 찾아서 듣는다. 슬픔을 떠난 음악을 이해하지 못한다. 베토벤은 충분히 슬프다.

카페에 왔다. 섬진강과 호수를 거쳐 산과 산 사이에 난 길을 달려오는 동안 입에 침이 고였다. 때로는 커피도 술에 목이 타듯이 마음을 애타게 한다. 이 검은 액체는 아무것도 설명하지 않지만 나는 한 모금의 커피를 마시며 영혼의 비어 있는 공간이 채워지는 느낌을 받는다. 함부로 사랑을 부를 수 없는 시간에 커피는 그 사랑의 이름을 쓰게 한다.

나는 살아오며 자연스럽게 클래식 음악을 접했던 사람이
아니다. 50대에 들어 어느 날 갑자기 그 아득한 세계가 궁
금했고 신문 문화면을 이해할 수 있어야 한다는 소신을 따
라 백지의 세계에 음악이라는 꿈을 그렸다. 눈을 뜨고 있는
시간에는 음악을 들었다. 1만 시간 음악을 듣는 기록을 측
정한다면 나는 가장 빨리 목표에 도달했던 사람이었을 것
이다. 나에게는 중간이 없다는 친구의 말처럼 나는 아름답
고 슬픈 세계의 끝을 듣고 싶었다. FM의 베토벤 피아노 협
주곡 3번 앞에서 그 세계의 끝을 생각한다.

안숙선의 구음 시나위를 듣는다. 죽은 자의 영혼을 부르는
슬픔인가. 저세상에서나 함께할 수 있는 아득한 사랑에 바
치는 통곡인가. 안숙선의 목소리는 서럽디서러운 운명의
끝에서 우러나오는 맑은 슬픔을 노래한다. 마음의 가까이
에 있어도 다가가지 못하며 아무리 간절해도 내 마음에 담을
수 없는 세계를 듣는다. 물방울이 바위를 뚫는 꾸준한 세월
이 만든 소리를 들으며 그것을 아름다움이라고 부른다.

결혼하고 보름 음식을 장만하지 않은 첫 번째 정월 대보름
이다. 어린 시절에 마을을 울리던 흥겹고도 슬프던 농악 소
리를 기억한다. 가난하고 삶이 힘겨우니 일부러 흥을 만들
어 온 동네를 돌았던 것일까. 분명히 흥겨운 농악인데 듣고
있으면 눈물이 나더라. 국립무형유산원에서 문화재로 지정
된 농악단 공연을 본 적이 있는데 많이 울었던 기억이 있
다. 내 마음에 슬픈 소리가 담겨 있다가 농악에 반응했을
것이다. 젊은 아버지가 농악 장단에 흥겨워하시던 모습이
눈에 선해서 그리움으로 맞는 대보름 아침이다.

6

가족

나는

사랑을 생각한다.

나는 사랑을 생각한다.

살아 있는 동안

내 마음을 다하여 아내를 사랑하고

가족을 위해 무엇도 귀찮아 하지 않는

아버지와 할아버지로 살아가며,

세상의 아름다움에 대한 기대를 간직하는 것이

단 한 번뿐인 생을 대하는

내 마음이라고 스스로에게 알려준다.

아들이 몰락하면 또 그 자리에서 새로운 사랑을 시작하셨던 아버지. 상처를 만들어 절망하던 젊은 날, 누군가가 나에게 당신 아버지를 보면 아버지의 위대함을 느낀다는 말을 해준 적이 있었다. 오늘 본가에서 점심 먹고 돌아오는 길, 91세 아버지의 아들 사랑에 불효의 회한으로 눈물이 고여 고개 돌렸다.

부모님 생신을 제외하고는 심지어 어버이날에도 아버지 앞에서 밥값을 계산하는 것은 아버지 권위에 대한 도전이라 얌전하게 아버지가 주시는 돈으로 계산한다. 물 들어올 때 배 띄운다고, 지갑을 여시면 환갑 지난 아들과 며느리에게 용돈을 주신다. 결혼 36년 동안 그 풍경은 변함없이 유지되고 있다.

아버지는 91세. 언제인가는 영원한 이별이 기다리고 있을 텐데 나는 아버지의 부재를 견딜 자신이 없다. 아버지가 가져야 할 모든 미덕을 갖고 있는 단 한 사람. 내가 만난 모든 사람 중에 사람과 세상을 가장 사랑하는 어쩌면 유일한 로맨티스트.

어머니께서 내일 아버지와 연명치료 거부 등록하러 가신다며 혹시 전화 오면 동의하라고 너무나 밝은 표정으로 말씀하셔서 꼭 그만큼 슬펐다.

부모님께서 연명치료 거부 등록을 하시고 등록증을 형에게 주셨다. 어머니께서 너도 아이들에게 말로만 하지 말고 등록을 하라고 하셨다.

일요일의 새벽 거리에 스며 있는 평화를 지나 출근했다. 사람들은 행복을 말하느라 여념이 없는데 내 의무의 시간은 끝이 보이지 않는다. 어제는 잠깐의 안정 뒤에 더욱 깊어진 아버지의 치매와 싸우다 밤늦게 돌아왔다. 건강한 육체와 무너진 정신이 만들어내는 부조화가 참 두렵다.

본가에 다니는 요양보호사님의 확진 소식에 어머니와 통화하니 천하태평이시다. 밭에 다녀오셨다고, 걱정 말라고 하신다. 아, 저 말을 얼마 만에 들어보는지. 온 가족이 소망했던 어머니의 건강이 회복되니 일상으로 여긴다. 죽음의 그림자를 걷은 기적 앞에서 또 다른 기적을 생각하는 어리석음이여.

아내와 나는 사위가 술과 담배를 안 하는 사람이었으면 하는 바람이 있었고 다행히 뜻대로 되었다. 술이 나쁜 게 아니라 술을 마신 나에게 문제가 있었다. 술을 끊고 10년을 보내며 내가 술자리에서 너무 많은 시간을 보냈음을 깨달았다. 술 마시는 남편을 기다리는 삶이 딸에게 없어 다행이다.

어머니 모시고 병원에 다녀왔더니 아버지께서 용돈 20만 원을 주신다. 90대의 아버지가 60대의 아들에게 주시는 용돈을 활짝 웃으면서 받았다. 자식에게 돈을 받으면 마음이 불편한데 아버지께 받으면 그냥 좋다. 자식은 영원히 철들지 못하는 존재여서 부모님 앞에서는 나이가 들지 않는다.

아버지께서 70대 중반이었을 때 이제 일은 조금만 하시라고 했더니 "사람은 일하다 죽는 존재"라고 하셨다. 92세인 지금도 기계톱으로 나무를 자르고 장작을 패신다. 여행과 맛집의 애호가인 아버지는 여행과 맛있는 음식에는 돈을 아끼지 않으신다. 나는 아버지를 능가하는 아들이 되지 못했다.

어버이날을 앞두고 본가에 다녀왔다. 선물과 봉투를 드렸더니 아버지께서 기어이 점심을 사셨고 어머니는 받은 봉투를 끝내 아내에게 주셨다. 내 돈이 아내에게 간 것이다. 머위를 잘라서 삶고, 두릅도 끊고, 상추도 솎아서 돌아왔다. 돌아올 때 부모님을 바라보며 아득한 슬픔을 안고 왔다.

고등학생 시절 방황하던 나에게 동네 분이 해주신 말씀. "새벽어둠에 지게를 지고 동네 뒤 고개를 오르는 자네 아버지를 보며 아버지의 위대함을 느낀다." 딸이 시험을 보고 와서 울고 있으니까, 이유도 묻지 않고 손녀의 손을 잡고 같이 울어주시던 아버지. 어버이날 아침에 아버지를 생각한다.

살아오면서 가졌던 유일한 꿈은 딸을 갖는 것이었다. 봄날의 황혼 무렵에 어린 딸의 손을 잡고 섬진강 제방을 따라 걷는 꿈을 꾸었다. 딸의 귀밑머리가 바람에 나부낄 때 잃어버린 내 꿈이 강물을 따라 흘러가고 딸은 무언가를 물으며 해가 지는 쪽으로 걸어가는 그런 꿈을 꾸었다. 딸은 알까.

장모님과 8년을 함께 살았다. 바쁜 아내와 아이들을 돌보셨다. 그러다 많이 아프셨고 아들이 모시러 왔을 때, 내가 모시겠다고 했다. 딸을 알아보지 못하실 때도 사위인 나는 알아보셨다. 언 땅에 장모님을 묻으며 불효의 회한도 함께 묻었다. 장례식 끝나고 아내가 내 손을 꼭 잡고 고맙다고 했다.

어제 본가에서 건강이 안 좋아지신 어머니를 바라만 보다 돌아왔다. 병원 순례에도 지친 어머니께서 이제는 입원도 마다하신다. 반복되는 모든 검사에서는 특이 사항이 없다. 동네의 모든 할머니는 혼자 산다. 어머니는 그 자유를 부러워하신다. 슬픈 역설이다. 사랑은 자유를 포함한다고 믿는다.

본가에 가면 거의 부모님과 함께 점심 식사를 했다. 그렇게 하는 것이 잘하는 일이라고 생각했다. 그런데 어머니께서 손님인 아들의 반찬에 신경을 쓰신다는 것을 깨닫고는 밖에서 친구들과 식사를 하고 집에 들어간다. 어머니도 좋아하시고 친구들과 식사 자리를 가질 수 있어 좋다. 늦게 깨닫는다.

요양병원에 가서 아버지 입원 상담을 했다. 아버지가 좋아하시는 떡을 사 들고 본가에 갔다. 맛있게 드신다. 결정의 촉박함은 가족 모두가 공감하면서도 결정의 의미를 알고 있기에 미룬다. 슈베르트 피아노 소나타 21번을 듣는다. 위로가 아닌 슬픔을 위해 슈베르트를 듣는다. 막막해야 슈베르트다.

아버지께서 살고 싶은 마음이 없다고 하신다. 더 산다고 별일이 있을 것 같지도 않고, 오래 살았다고 하시는 데 보탤 말이 없었다. 그리고 내게는 심한 무기력과 우울이 찾아왔다. 극복을 생각하지 않는다. 그저 이대로 무심히 앉아 견딘다. 시간이 더디 흐르지만 그래도 시간의 힘을 믿는다.

아침에 아내와 걸었다. 세상의 시름을 나눴다. 오후에는 어머니를 집으로 모시기로 했다. 아버지는 요양병원에 모시는 절차를 밟기로 하고. 쉬운 일이 없다. 그래도 아내와 걸으며 이야기를 나누면 마음이 따뜻해진다. 나는 그것을 사랑이라고 부른다.

어제 아버지를 요양병원에 모셨다. 나 혼자서 아버지를 요양병원에 모시고 아내에게 전화해서 울었다. 나는 나쁜 아들이다. 나중에 형이 어머니를 모시고 왔다. 아침에 형이 통화하면서 운다. 그러지 말자고 했다. 아버지에 대한 어떤 기억도 말하지 말자고 했다. 어머니의 삶이 자유롭기를 바란다.

아내랑 본가에 갔다. 어머니의 끝없는 한숨을 들었다. 세상이 우울해진다. 작년에 여러 가지 검사를 한 결과 젊은 사람보다 장기가 깨끗하다고 했는데 어머니는 또 검사를 받고 싶어 하신다. 검사를 위한 검사가 반복된다. 35도의 오후에는 고구마밭에서 풀을 뽑았다. 나에게는 경비 근무가 휴식이다.

오늘도 삶은 계속되는 것이어서 잠 못 이룬 밤을 뒤로하고 본가에 다녀왔다. 돌아오는 길에 아내를 바라보면서 우리도 세월이 가면 저렇게 살아가겠지 생각하니 서글퍼졌다. 어머니를 30년 넘게 병원에 모시고 다닌 형이 전화를 해서는 너무 어머니에 몰입하지 말라고 그런다. 삶이 참 사소하다.

아내가 어머니 병실을 지키고 나는 아버지 요양병원에 다녀왔다. 아버지 계시는 병원만 다녀오면 눈물이 난다. 이것도 익숙해지는 날이 올 것이다. 그런 익숙함을 쉽게 받아들이기 어렵지만 그것도 비껴갈 수 없는 삶의 순서이리라. 그리고 나도 아버지의 길을 따라가는 그런 세월을 맞이할 것이다.

어머니 병간호를 하다 보니 PCR 검사가 필요해서 선별진
료소를 찾았다. 신속하게 검사를 진행하는 분들을 보니 눈
물겹도록 고맙다. 세상을 움직이는 시스템이 작동하는 현
장을 확인하면 고마움과 자랑스러운 감정을 동시에 느낀
다. 병원에서 주말을 보낸다. 병원에서도 내가 바라보는 세
상을 사랑한다.

본가에 다녀왔다. 한 달 전까지 부모님이 계시던 본가는 빈
집이 되었다. 부모님이 계실 때는 발걸음이 떨어지지 않아
몇 번을 돌아보고 가슴에는 무거운 짐을 안고 돌아왔는데
오늘은 쓸쓸한 인사를 빈집에 바치고 대문을 나섰다. 세상
의 자식들은 씻지 못할 불효를 쌓아간다. 나는 더 그런 사
람이다.

어머니의 입원이 1개월이다. 넘어져 다쳐 수술한 부위의 출혈로 퇴원이 아득하다. 어머니는 당신이 세상에서 제일 아프고 힘들다고, 그래서 죽고 싶다고 했던 어제를 간절하게 그리워하신다. 다시는 어제로 돌아가지 못한다. 최악이라고 믿었던 어제가 가장 행복한 날이었다. 오늘도 그런 날이다.

부모님이 계시지 않는 본가에 다녀왔다. 부모님 평생에 마지막 농사인 논과 밭에서 아무것도 느끼지 않으려 애썼다. 이것은 세월이고 누구도 거역할 수 없는 거라며 나를 달랬다. 늦은 점심으로 친구가 딸과 운영하는 식당에서 순댓국을 먹었다. 아내가 예전보다 더 맛있다고 하길래 포장도 했다.

아내와 어머니 병원을 다녀오며 인생에서 가장 행복하다는 60대에 물러설 곳이 없는 삶을 살고 있다며 한숨을 쉬었다. 물러설 곳이 없다는 말은 꼭 필요한 세월이라는 뜻이라고 이해하며 힘내자고 삼계탕을 먹었다. 언제는 희망으로 살았던가. 살다 보니 여기까지 왔고 내일 걱정은 내일 하기로 했다.

아버지의 요양병원 입원 후 일주일 만에 어머니의 엉덩이뼈 골절, 입원 6주가 지났다. 수술 후 원인불명의 출혈로 인해 계속되는 여러 시도에도 상황이 절망적이다. 어머니께서 자유로운 삶을 사시기를 소망했는데 운명이 허락하지 않는다. 어머니에게 허락된 삶이 길지 않을 거라는 생각을 한다.

오랜만에 큰아들을 만나 점심 식사를 했다. 잘 웃고 잘 먹는다. 결혼 상대가 있으면 우리 집에서 며느리는 아들의 배우자 외에 시부모에게 어떤 역할도 없다는 점을 꼭 말해주라고 했다. 10분 거리에 사는 아들과 결혼한 딸도 어쩌다 만난다. 독립한 자식에게 최고의 사랑은 절제된 무관심이다.

여동생의 시어머니께서 돌아가셨다. 10년 전 아들의 연명 치료 여부를 결정해야 하는 상황에서 거부 결정을 하셨다. 어머니만 할 수 있는 선택이었다. 장례식에서 밖으로 드러나는 아내의 슬픔이 어머니의 슬픔을 넘어서는 안 된다고 여동생에게 말했었다. 며느리와 함께 사시다 가셨다. 명복을 빈다.

병상의 어머니를 뵙고 돌아오며 아내를 생각했다. 6.25 참전 용사인 장인어른은 부상의 후유증으로 아내가 12살 때 돌아가셨고 장모님은 70도 채우지 못하고 돌아가셨다. 연로하신 부모님의 병환으로 힘들어하는 나를 보며 아내는 무슨 생각을 할까. 어머니 소식을 말하지 않았더니 자꾸 묻는다.

딸이 직장을 가졌을 때 내가 했던 첫 당부는 돈을 모으라는 것이었다. 그것이 결국은 너에게 자유를 줄 것이라는 말도 덧붙여서. 평소와는 다른 아빠의 말에 딸은 마땅치 않은 눈치였다. 딸은 아빠의 말을 따른 것이 지금 누리는 자유의 바탕이라고 그런다. 돈 모은다고 삶을 희생한 것도 없단다.

병상의 어머니께서 추석에 상을 차리거나 차례를 지내지
말라는 말씀을 하셨다. 아마도 그것은 어머니께서 오랫동
안 갖고 계시던 생각이었을 것이다. 지금도 외가는 제사에
까다로운데 어머니는 그걸 넘으셨다. 조상을 생각하는 마
음보다는 아버지의 뜻을 받들어서 계속되던 제사가 끝난
것이다.

2022-09-10

부모님이 기약 없이 병원에 계시는데 무슨 명절이란 말인
가, 생각하다가도 아이들에게는 돌아갈 집이고 먹고 싶은
엄마의 음식일 것이라는 데 생각이 닿는다. 부모라는 자리
는 그런 것이다. 훌훌 털어버린다고 하지만 의무의 시간은
끝나지 않는다. 추석의 새벽이다. 오늘은 덜 슬프고 덜 아
프기를.

호국원으로 옮겨 모신 장인어른과 장모님을 뵙고 왔다. 두 분께 엎드려 절을 올리며 귀한 딸과 사랑하며 잘 살겠다는 다짐을 드렸다. 뵙지 못한 장인어른의 신산했던 삶과 8년을 함께 사셨던 장모님 생각에 눈물이 흘렀다. 아내가 딸은 울지 않고 사위는 운다고 그런다. 아내의 손을 잡고 돌아왔다.

어머니는 아들 앞에서는 우시지 않더니 며느리를 보고는 눈물을 보이신다. 입원 3개월이 지났다. 수술 부위가 아물지 않아 성형 수술을 하기로 결정했다. 아내는 어머니 손톱을 깎아 드리고 있다. 어머니께서 처음 입원하셨던 병실에는 형수가 발목 골절로 수술 후 입원해 있다. 삶이 다사다난하다.

어머니는 아내를 같은 여자로 대하셨다. 아버지의 유전자를 물려받은 아들과 살아가는 며느리를 늘 안타까워하셨다. "내가 네 시아버지와 살면서 많은 고초를 겪었는데 네가 그럴까 염려스럽다"며 며느리의 손을 잡고 눈물을 보이기도 하셨단다. 오늘 어머니의 수술이 있었고 아내가 병상을 지켰다.

아내와 함께 병원에서 어머니 머리를 다듬어 드렸더니 어머니가 아내에게 시어머니 잘못 만나서 고생한다며 고맙다고 하신다. 어머니는 평생을 아버지 그늘에서 사셨다. 많은 대한민국 남자의 장수는 여자의 희생을 의미한다고 믿는다. 나는 아내에게 그런 사람이 되어서는 안 된다는 것을 알고 있다.

아버지를 다른 요양병원으로 옮겼다. 자식을 바라보며 희망을 키우다 아들의 좌절에 애가 타던 세월이, 아들딸 결혼시키고 흐뭇했던 마음이, 손자 돌이라고 동네잔치를 열었던 삶의 기쁨이 낯선 병상에 누워 있었다. 돌아오며 조금 울었다. 아버지 때문이 아니라 나를 생각하며 그랬을 것이다.

어제 어머니께서 152일 만에 퇴원하셔서 요양병원에 입원하셨다. 30년 넘게 이어진 병환과 넘어져서 엉덩이뼈를 다친 결과지만 자식은 그렇게 부모를 버린다. 이것이 최선이라고, 어머니께서 원하신 일이라고 마음을 누르며 돌아왔다. 시간이 지나면 이 슬픔에 익숙해질 것이다. 그것이 슬프다.

사위가 일주일 출장을 마치고 돌아와 오전에 쉬고 오후에 출근했는데 딸이 퇴근해 집에 오니까 평소처럼 욕실 청소부터 집 안 청소를 깨끗하게 하고 싱크대까지 정리해 놓고 다시 출장을 갔다고 자랑을 한다. 사위를 처음부터 지지하고 신뢰한 내 안목을 내세웠더니 딸이 선택은 자기가 했다며 웃는다.

딸에게,

꿈을 꾸고 사는 사람만이 긴 겨울을 이겨내고 긴 겨울을 견딘 사람만이 새봄을 맞이할 수 있단다. 언제나 큰 기쁨으로 이 세상에서 곱게 웃는 너는 엄마 아빠와 가장 오래 살아갈 친구 네 웃음 속에서 세상의 아름다움이 드러나고 네 여린 손짓에서 세상의 신비는 문을 연다. 네가 있어 환하게 빛나는 세상에서 언제나 밝고 바르거라.

스물 일곱에 딸을 낳고 딸에게 주는 글을 썼는데 오늘이 딸의 생일이다.

2022-12-28

본가 온돌방 아궁이에 장작불을 지폈다. 장작을 집어넣고는
툭툭 소리를 내며 타들어 가는 장작불을 오래 바라보았다.
장작개비 하나에도 아버지의 세월이 담겨있다. 뜨거워진 온
돌방 아랫목에 몸을 누이며 아내가 운다. 아버지는 부족한
아들 때문에 힘든 세월을 보낸 며느리를 많이 사랑하셨다.

2023-01-10

요양병원에 계시는 어머니는 전화 통화를 하거나 면회할 때
집안 걱정에 끝이 없다. 걱정 마시라고, 어머니 건강만 챙기
시라고 말씀드렸는데 지금은 생각이 바뀌었다. 어머니의 걱
정은 어머니가 세상을 살아가는 이유다. 이제는 몸이 할 수
없는 일을 마음으로 하고 계신다. 그동안 내가 잘못했다.

자주 내 나이 때의 아버지를 생각한다. 아버지는 아들의 경제적인 후원자였고 손주들에게는 손이 큰 할아버지였으며 며느리의 든든한 언덕이었다. 우리 집에 온 친척들에게 맛있는 음식을 사주셨고, 승용차의 트렁크를 채워 주셨다. 무엇보다도 어머니를 사랑하셨다. 아버지의 정성과 경제적인 능력이 아니었다면 어머니의 수명은 50대 중반이었을 것이다. 아버지는 70대 중반에도 어머니 생신에 꽃을 선물하셨다. 평생을 농사를 지으면서 사신 아버지는 스스로 운명을 개척하며 한계를 넘는 삶을 사셨다. 아버지에 미치지 못하는 아들은 아버지의 그늘에서 세상을 바라본다. 아들은 늘 흔들린다.

전에 어머니께 전화를 드렸더니 목소리와 컨디션이 좋으시다. 이런저런 이야기를 나누고 기분 좋게 전화를 끝내고 나니 갑자기 슬픔이 몰려왔다. 요양병원에서 보내는 설날, 무슨 기분이 좋으실까. 혹시라도 아들 마음 편해지라고 그러시는가 하는 생각에 이래도 슬프고 저래도 슬프다. 설날 밤이다.

병원에 계시는 어머니와 통화, 나는 어째서 어머니의 자랑이 아닌 걱정스런 아들이 되었을까. 어머니의 한숨이 깊어졌다. 어떻게 사느냐가 아니라 무엇이 되었는지 여부가 중요한 세상에서 나는 무엇도 되지 못했고 이제는 어머니를 잠 못 이루게 하는 아들로 살아간다. 세상의 꽃과 무관한 삶이 있다.

아버지께서 93세를 일기로 14일 세상을 떠나셨습니다. 6.25 참전 용사로 죽음과 삶의 경계를 넘으셨고 자식들과 손주들에게 최고의 사랑을 주셨던 아버지는, 노력으로 운명을 개척하셨던 거인이었습니다. 제가 만난 사람 중에서 가장 세상을 사랑하셨던 분이었고 아름다움에 대한 확신을 간직하고 계셨습니다. 늘 일하는 사람으로 사셨고 주변에 대한 관심을 유지하며 살아오셨습니다. 영정사진, 수의, 장지, 장례 비용, 병원 비용 등 모든 것을 준비해 두셔서 자식들은 추모의 마음만으로 아버지를 보내드릴 수 있었습니다. 호국원에 아버지를 모시고 마음에 아버지를 담았습니다. 감사합니다.

아버지를 호국원에 모시고 나서 점심 식사를 했는데 농사일을 하시는 86세 고모님께서 적지 않은 밥값을 미리 계산하셨다. 그냥 사고 싶으셨다는 말씀과 함께. 댁에 모셔다 드렸더니 고추장과 참깨, 검정콩을 주셨다. 나는 언제 그렇게 넓은 어른이 될까. 아버지 49재를 지나며 고모님을 생각한다.

어머니를 뵙고 왔다. 어머니는 늘 아내가 옳다고 하셨다. 아내가 어머님은 정말로 지혜로우시다고, 당신의 아들 사랑해 주라고 언제나 며느리 편을 드시는 것이라고 그랬다. 오늘 어머니는 편안해 보이셨고 잘 웃으셨다. 아들이 덜 흔들린다는 것을 이미 느낌으로 알고 계셨다. 내 마음도 편안했다.

아버지는 생전에 자식들에게 자주 밥을 사셨다. 어버이날에도 아버지께서 밥값을 내셨다. 그것이 아버지의 권위였고 즐거움이었다. 식사를 마치면 사용한 휴지를 모아 쓰레기통에 버리셨고 식당의 누구에게도 깍듯이 존댓말을 하셨다. 오늘 고모님을 찾아뵈었더니 눈물을 보이며 맛있는 밥을 사주셨다.

아침에 아버지를 생각하면서 울었다. 나는 아이들의 아버지이고 할아버지라는 이름도 얻었지만 결국은 아들로 세상을 살아가는 것은 아닐까. 생의 마지막 순간에 아버지를 떠올리며 아버지를 부르지 않을까 하는 생각을 하는 어버이날 아침이다. 아버지가 남겨 주신 그리움으로 아들은 오늘을 산다.

아내가 큰 수술을 했을 때 심장병을 앓으셨던 막내 이모가 병실에 오셔서는 아내의 손을 잡고 우셨다. 여자는 퇴원해 집으로 가면 일이 기다리고 있다고, 남자는 대접받으며 아픈데 여자는 아픈 것도 조심스럽다며 같은 여자로서 안스럽다고 눈물을 보이셨다. 이모가 세상을 떠난 지 1년이다.

아버지는 마을 경로당에 가끔 나가셨는데 연세가 80이 넘어가면서 발길을 끊으셨다. 이유를 여쭤보니 아버지가 가시면 경로당의 주축인 70대들이 누워 있다가 일어난단다. 나이 들어서는 함부로 그런데도 가면 안 된다고, 살아 있으면 일을 해야 한다며 지게를 지고 밭에 나가셨다. 아버지가 그렇다.

어제 병원에서 어머니를 뵈었다. 어느 해 무더운 여름날 어머니를 모시고 병원에 다녀오다 길가에서 잡초 제거 작업을 하고 있는 노인들을 보며 무더위에 힘들겠다고 했더니 어머니께서 "일하는 저 사람들이 세상에서 제일 부럽다"고 하셨다. 일하시지 않는 어머니의 손은 부드러웠고 나는 슬펐다.

본가에 가면 언제나 삶의 쓸쓸함을 안고 돌아온다. 농사일을 마친 부모님께서 대문을 열고 들어오실 것 같아 마루에 앉아 기다리면 가을바람이 대문을 밀어놓는다. 이제는 지나간 시간이라고 바람이 알려준다. 나는 바람의 길에 서서 허망한 시간들을 바라보았다. 내가 아버지를 따라 늙어가고 있다는 것을 까마득히 잊고 있었다. 언제인가 마루와 마당에서 내 한숨과 세월이 사라질 것이다. 애호박 몇 개를 따서 집에 돌아왔다.

나를 잘 아는 직원이 내 삶은 드라마라는 말을 했었다. 결정적인 실수를 했지만 다시 일어서기도 했다. 실직도 겪었고 자식 문제, 가족의 병고가 일찍부터 지금까지 나를 떠난 적이 없다. 나는 늘 물러설 곳이 없다고 생각했다. 그래도 생각해 보면 나는 좋은 조건을 갖고 있는 사람이다. 기댈 수 있는 아버지가 계셨고 형이라는 따뜻한 시선이 있다. 형과 여동생이 아내 병원 비용을 부담하겠다는 전화를 했다. 눈물이 많아진다.

아버지와 장인, 장모님이 계시는 호국원에 다녀왔다. 장인어른은 아내가 11살 때 돌아가셔서 나는 뵌 적이 없다. 장모님은 우리와 8년을 사셨다. 딸의 건강을 돌봐주시라며 인사를 드렸다. 텅 빈 본가에 들러 늦가을이 내리는 마당에서 한참이나 서 있었다. 배웅 없이 돌아오는 길에 바람이 일었다.

아내는 모임에 가고 혼자 남은 나는 딸을 만나 점심 식사를 하고 커피를 마셨다. 가끔 함께 식사를 하지만 둘만 시간을 보내는 것은 참 오랜만이다. 내 못다 한 꿈이었고 사랑이었 으며 세상에 존재하는 모든 아름다움의 첫 번째 이름이었 던 딸, 좀 더 좋은 아버지 노릇을 하지 못한 아쉬움을 가슴 에 안고 살아간다. 무슨 이야기를 해도 서로 공감하고 바라 보는 삶의 방향 또한 엇갈리지 않는다. 아버지가 바라보는 세상을 언제나 응원하는 딸과 마신 커피의 향기가 마음에 오래 머문다.

한 번뿐인 인생이라고 말한다. 그래서 성공해야 하고 돈을 많이 벌어야 하며 마음의 여유나 너그러움은 통장 잔고에 서 나온다는 말이 자랑스런 경험담으로 회자된다. 이제는 그런 세계의 이야기를 할 수 있는 가능성이 없는 것으로 보 이는 나는 사랑을 생각한다. 살아 있는 동안 내 마음을 다 하여 아내를 사랑하고 가족을 위해 무엇도 귀찮아하지 않 는 아버지와 할아버지로 살아가며, 세상의 아름다움에 대 한 기대를 간직하는 것이 단 한 번뿐인 생을 대하는 내 마 음이라고 스스로에게 알려준다.

며칠 전부터 아내가 산타 할아버지 이야기를 했다. 이제는 진짜 산타 할아버지가 되었다는 이야기를 흘려들었는데 태어나서 첫 크리스마스를 맞는 손주를 챙기라는 말이었다. 확실하게도 산타는 할아버지여서 모든 것이 내 몫이 되었다. 산타가 준비한 봉투는 딸을 기쁘게 했고 9개월 손주는 내 품에 안겼다. 크리스마스이브에 변함없는 아내의 선물인 간식을 먹는다. 하늘의 신이 아내를 통해 나에게 내린 축복을 넘치게 받았다. 모든 분께 메리 크리스마스!

93세에 돌아가신 아버지는 생전에 이제는 편히 쉬시라는 주변의 이야기에 사람은 일하다 죽는 것이라는 말씀을 하셨다. 자식들도 아버지께서 하시는 일을 말리지 못했다. 마음을 다스리는 확실한 방법은 출근에 있다는 것을 늘 체험한다. 언제까지 일을 하게 될지는 모르지만, 오늘도 출근해서 몸을 움직였고 이제 현관문의 셔터를 내렸다. 세상과 일정한 약속을 하고 이행하는 과정이 삶을 더 단단하게 한다. 나는 마음이 약한 사람이라 적당한 제약이 나를 지켜준다고 믿는다.

딸은 세상에서 제일 맛있는 음식으로 할머니께서 띄운 청
국장을 엄마가 끓이고 거기에 엄마의 무생채를 얹어서 먹
는 것을 꼽는다. 어머니의 청국장 시대는 아름답고 그리운
시절이었다. 오늘 아침에는 친구가 만든 청국장을 아내의
솜씨를 더해 끓였다. 지금은 특유의 냄새가 거의 나지 않는
청국장이라 끓이기에 부담이 적다. 일단 이것은 영혼에 관
한 음식이다. 살기 위해서 먹지만 음식 자체가 삶을 행복하
게 하는 순간을 맞기도 한다. 오늘은 그런 아침이었다.

따뜻한 명절의 기억이 없다. 시골에서는 잘 산다는 집이었
고 명절은 풍성했는데도 돌아보면 마음이 춥다. 비단 명절
뿐만 아니라 유년의 기억들은 쓸쓸한 그림자로 남아 있다.
초등학교에 다닐 때 늘 칭찬받는 학생이었지만 그 시절을
회상하지 않는다. 성인이 되어서도 명절은 피하고 싶은 날
이 되었다. 명절의 번잡함이 싫었을 것이다. 이제는 그것도
다 끝났다. 나는 혼자서 잘 노는 사람이다. 사람들과 잘 어
울리지만 스스로와 더 친하다. 아내가 그래도 명절이니 장
보러 가자고 한다.

아내가 준비한 명절 음식을 요양병원에 계시는 어머니께 전해 드리고 성묘하러 고향에 왔다. 아내도 나도 어머니 이야기를 하면 마음이 아파 입을 닫는다. 병원에 계시는 것이 옳다는 것을 알고 있으면서도 불효의 마음은 또 다른 것이다. 커피 한 잔을 피해 가지 못하고 햇볕이 잘 드는 카페 창가에 앉아 마음을 다스린다. 세월은 기쁨을 흘리고 슬픔은 쌓아간다. 나는 또 삶의 길에 하루의 슬픔을 더한다.

방금 아내가 전화를 했다. 세상에서 가장 듣고 싶은 목소리를 들었다. 아내는 여동생의 친구였다. 아버지가 큰딸이라고 하셨다. 결혼 초기에 어머니가 아내의 손을 잡고 우셨단다. 어머니가 가부장적인 남편과 사느라 힘들었는데 혹시라도 며느리가 그럴까 봐 같은 여자로서 마음이 아프다고 하셨단다. 어머니의 염려대로 아내의 마음을 많이 아프게 하며 살았다. 지나간 시간을 되돌릴 수 없어 세상의 좋은 날은 앞에 있을 것이라는 믿음에 충실한다.

오늘이 아버지의 1주기다. 호국원에서 제사를 모셨다. 치열했던 삶의 저만치에 아버지는 계셨다. 아버지는 열심히 세상을 사랑하셨고 스스로 삶을 깨달은 분이었다. 아내는 당신이 아니라 아버님이 시인이라고 늘 말했다. 아버지는 세상이라는 바탕에 오직 땀과 정성으로 사랑이라는 시를 쓰셨다. 가장 나쁜 조건에서 시작하여 아내와 자식에게 최고의 책임을 다한 사람, 아버지를 기억한다.

오늘 손주 돌 반지 두 개를 산다고 친구에게 말했더니 여기저기 전화를 해서 내가 사려던 가격보다 16,000원 싼 곳으로 안내를 해줬다. 기분 좋게 집에 왔더니 학교 앞 신호 위반으로 13만 원 과태료 통지서가 나를 기다리고 있다. 지난 아버지 제사 때 병원에 계시는 어머니께서 외박을 나오셨는데 모셔다드리다 발생한 것이다. 한적한 시외였는데 전혀 기억이 없다. 운전을 시작하고 최고의 과태료 선물을 받았다. 아내는 어머니 모셔다 드리는 과정에서 생긴 일이니 좋게 생각하라고 한다. 일당이 날아갔다.

7

계절

봄을 기다리는 소박한 꿈으로

겨울을 견딘다.

●

오늘이 동지다.

긴긴 동짓달 밤이 절정에 이르러

마침내 아침을 향한 하지의 꿈이 시작되는 날이다.

모든 절정에는 새로운 시작이 담겨있다.

우리는 봄을 기다리는 소박한 꿈으로

겨울을 견딘다.

벚꽃이 바람에 흩날려 아파트 단지를 뒤덮고 있다. 어떤 형태로든 쓸어내야 벚꽃 시즌이 끝난다. 그렇게 봄날은 깊어가고 생각 많아 시름 가득한 일요일은 시작되었다. 자꾸만 뒤를 돌아본다. 생의 좋은 날은 앞에 있다고 하지만 아쉬움 많았던 시간이 자꾸만 나를 붙잡는다. 나만 이러고 살까.

가뭄의 기억이 사라진 세상에 새벽에도 소나기가 내렸다. 아침은 더 깊어진 초록과 함께 온다. 누구에게는 힘겨운 하루일지도 모를 경비원이라는 일이 오늘의 나에게는 세상의 고뇌로부터 탈출로 여겨진다. 책 한 권 들고 왔다. 나를 지탱하는 힘은 책, 음악, 길, 그리고 출근과 빗자루에서 나온다.

아침에 1시간 동안 쏠었더니 온몸이 땀에 젖는다. 마음도 젖어 들어 메마른 틈새를 메꾼다. 여름이 온 것이다. 더구나 오늘은 하지다. 해가 오래 떠 있는 날, 생명의 움직임을 길게 지켜보며 세상에 내리는 긴 그림자가 된다. 생생하게 살아 움직이는 것은 늘 나를 매혹시킨다. 하지는 그런 날이다.

8월이다. 7월의 더위는 막연했는데 8월에는 조금만 버티면 된다는 희망을 품어도 된다. 8월이라고 읽으면 더위와 함께 멀리서 전하여 오는 가을의 울림이 들린다. 아무리 더워도 절정은 이미 무너지고 있다는 뜻이다. 생명의 무성함으로 빛나는 계절이 또 지려 하고 있다. 여름이 가고 있는 것이다.

오늘이 입추다. 더위가 수그러들 기미가 보이지 않지만, 마음 어디에서는 가을을 생각해도 되는 날이다. 아무리 무더운 날씨도 계절의 순환을 받아들이듯 우리의 삶도 거대한 순환의 흐름에서 벗어나지 못한다. 오늘의 힘겨운 하루도 결국은 세월의 한 모퉁이를 돌아가는 일이다. 가을을 기다린다.

오늘이 처서다. 이제는 여름의 기억을 접어도 된다. 내가 기억하는 처서는 김장 무와 배추 파종의 기준으로 삼는 날이다. 지금까지 그렇게 알고 살아왔는데 본가에 부모님이 계시지 않아 더 이상 씨를 뿌리지 않는다. 촌놈이라 특정한 작물을 기준으로 계절을 읽는 습관이 있는데 올해 처서는 다르다.

서해 바다에 물이 들어온다. 먼 곳을 지나온 파도는 마침내 육지에 닿아 오래된 그리움을 부려놓는다. 오래도록 바다를 바라보았다. 삶이 먼바다의 풍경처럼 막막하여 시련의 끝이 보이지 않아도 바다 앞 아내의 얼굴을 바라보며 한세상 살아간다. 행복을 믿지 않아도 곁에 아내가 있음을 믿는다.

새벽에 밖으로 나왔을 때 어제와는 다른 계절이 자리하고 있었다. 어둡고 차가운 계절의 문을 여는 첫 새벽을 맞은 것이다. 그리고 아침 청소를 하면서 땀에 젖지 않는 첫날을 맞았다. 3일간의 늦은 여름휴가를 마치고 출근했다. 다른 경비실 근무자의 휴가로 조금 더 움직이는 하루를 보낼 것이다.

경비원에게 가장 바쁜 시간이 다가오고 있다. 벌써 철 이
른 낙엽이 지고 있다. 작년보다 나무가 더 자랐을 것이고
그만큼 쓸어야 할 낙엽도 늘어날 것이다. 나무와 단풍을
바라보는 생각이 그렇게 다르다. 혈당과 혈압이 좋다. 많
이 움직이는 직업 덕분이라고 생각한다. 그래, 이건 적당
한 운동이다.

아내와 농사 소풍을 다녀왔다. 아내가 썰어서 말리고 있는
호박과 풋고추에 가을이 담겨있다. 오일장 구경하며 단감도
한 박스 사고 무도 다섯 개에 만 원 주고 샀다. 돌아와 씻고
나서 이제하의 시 "아아 밀물처럼 온몸을 스며 흐르는 피곤
하고 피곤한 그리움"에 몸을 맡긴다. 단순한 반복이 좋다.

낙엽의 계절이 시작되었다. 낙엽 쓸기가 끝나면 겨울이다. 여름이 추억이 되었듯이 삶의 슬픔과 우울을 쓸고 또 쓸다보면 이 계절도 지나간 시간이 될 것이다. 긴 슬픔과 짧은 평화가 순환하는 삶을 받아들이는 마음으로 오늘도 빗자루를 들고 새벽을 쓴다. 삶은 선택의 여지가 없을 때 엄숙하다.

새벽에 깨어 출근을 기다렸다. 경비원이 얼마나 대단한 일이라고 출근이 기다려진다. 여기에서 몸을 움직여 마음에 쌓여가는 근심과 시름을 달랜다. 사람들과 부대끼며 또 하루를 만들어간다. 몸의 편안함보다는 마음 둘 곳이 더 필요하다. 단풍이 들어 찬란한 날, 나는 그 단풍의 추락을 기다린다.

촌놈이지만 토란을 캐는 것은 처음이다. 아내는 토란을 캔 경험이 없다면서도 잘 캐고 잘 다듬는다. 땅속에는 생각보다 많은 토란이 들어있었다. 토란은 또 얼마나 지난한 과정을 거쳐 식탁에 오를까. 오일장을 들러 단풍이 고운 길을 지나왔다. 아내와 하루를 보냈다. 나에게는 가장 특별한 날이다.

오늘이 동지다. 긴긴 동짓달 밤이 절정에 이르러 마침내 아침을 향한 하지의 꿈이 시작되는 날이다. 모든 절정에는 새로운 시작이 담겨있다. 우리는 봄을 기다리는 소박한 꿈으로 겨울을 견딘다. 그 꿈이 무모한 것이 아니며 기다림에는 충분한 이유가 있다는 것을 동지의 어둠 앞에서 생각한다.

2월은 봄을 기다리는 달이 아니라 이미 마음에 봄이 담겨 있는 달이다. 영하의 새벽은 아직 남아 있지만 2월이라고 읽으면 부지런한 식물들이 마음속에 꽃을 만들어 간다. 낙엽을 쓸었던 두 팔의 기억이 생생한데 남향의 화단에는 초록빛 움직임이 살짝 설렘을 담은 얼굴을 내민다. 그 설렘을 담는다.

밤새 약하게 내리던 비가 멈췄다. 세상은 젖었다 말랐다를 반복하며 봄에 가까워질 것이다. 새벽에 문을 열면 청소하시는 분들이 제일 먼저 출근을 한다. 구내식당 재료도 도착한다. 건물의 문이 열리면 세상의 하루가 시작된다. 이 끝없는 반복이 세상을 유지한다. 이른 아침의 움직임은 경건하다.

3월이라고 쓴다. 달력이 2월에 머물고 있어 3월로 넘겼다. 이제는 이것으로 충분한 것이다. 3월이면 된 것이다. 무엇을 더 바란단 말인가. 나는 그저 3월을 되뇌고 있다. 새로운 계절이 시작되었다. 꽃의 계절에는 시름도 꽃 빛으로 피어난다. 꽃이라고 쓴다는 것은 아직 견딜 힘이 있다는 뜻인가.

경비실에서 봄밤을 보낸다. 사무실 화단의 산수유가 세상의 봄을 향한 막연한 동경을 노오란 꽃에 담아낸다. 우리는 그런 나무의 몸짓을 그리움이라고 부른다. 경비실은 피안의 세계다. 나는 아무런 아픔도 없는 사람이 되어 사람들과 인사를 나눈다. 사무실은 아직도 하루 일과가 한창이다.

모임을 마치고 돌아오는 길에 만난 밤의 세상은 불빛에 봄이 담겨 있었다. 밤을 지키는 경비원으로 근무하고 있지만 밤에 외출하는 일이 거의 없다 보니 어둠이 만든 위안과 불빛에 언뜻 모습을 드러내는 봄이 새로웠다. 아내와 하나도 새롭지 않은 이야기를 처음인 듯 나누는 사이에 밤이 깊어갔다.

2023-03-18

아들과 섬진강에 다녀왔다. 진안의 데미샘에서 발원하여 하동에 이르는 섬진강의 물길을 기억한다. 김용택의 고향 마을에서 구담 마을과 장구목을 지나는 강가의 풍경을 제일 사랑한다. 아내에게 구담에서 살고 싶다는 이야기를 한 적도 있다. 바람이 불었고 매화가 만개했으나 꽃을 찍지는 않았다.

나무들은 4월에 새순을 키운다. 가슴에 깊은 상처를 남기는 어떤 사랑도 4월에는 다만 작은 시작이었다. 무성하여지는 모든 잎은 4월에 깊어가는 연습을 한다. 나뭇잎이 숲을 향하여 만든 그리움이 이제 자리를 잡는다. 4월에는 모든 것들이 아련하고 그립다. 그런 계절의 첫 새벽에 깨어 있다.

비가 내린다. 비는 가장 먼저 꽃을 적셨고 초록이 머무는 나무 위로 내렸으며 당연하게도 풀잎을 지나 세상의 4월에 스며들었다. 결혼식장을 나와 굵어지는 빗줄기를 따라 돌아왔다. 나를 기다리는 시간이 없다는 것이 거의 유일한 위안인 오후는 무료하여 내 것이 된다. 이런 오후가 좋다.

올봄은 가장 잔인한 봄이 이어진다. 어떻게 살아도 꽃에 마음을 줄 여유는 있었는데 무심히 꽃을 지난다. 아내가 날마다 천당과 지옥을 경험한다고 말하기에 우리가 경험한 천당은 없었다고 대답했다. 짧은 안도 뒤에는 감당하기 어려운 시간이 기다리고 있었지만 또 살아간다. 살아 있어 살아 간다.

밤 10시에 마지막 직원이 퇴근했다. 이제 밤은 온전히 내 시간이다. 깊어가는 밤의 모든 불빛에게 마음을 준다. 불빛을 받아 더 눈부시게 짙어가는 4월의 꽃과 풀잎들은 밤이 깊어도 깊어가지 않는다. 그것들은 언제나 연하고 부드러운 시작으로 밤에 머문다. 기다림 없는 밤에도 밤은 깊어간다.

4월에 나는 꽃으로부터 멀리에 있었다. 산벚꽃이 연둣빛과 어울리는 풍경 앞에서도 한숨은 깊어 봄은 내 것이 아니었다. 내 삶을 수습하는 것은 불가능한 일이었고 실패를 확인하는 일은 또 뒤로 미뤘다. 회복과 위안에 대한 말들이 넘치지만, 그것은 정확하게 나를 비껴간다. 그렇게 5월이 온다.

해가 길어 그리운 사람의 얼굴을 오래도록 환하게 그릴 수 있는 6월을 사랑한다. 이제 막 시작하는 것들과 아직은 더 짙어져야 하는 초록이 있고 나무와 햇빛이 만든 그늘 아래서 당신을 바라보는 6월을 사랑한다. 찬물을 몸에 부으면 언뜻 떠오르는 그리움이 있는 계절, 우리는 또 6월을 살아간다.

내가 생각하는 1년의 정점은 하지다. 해가 길어 환한 세상을 제일 오래 바라볼 수 있는 하지는 동지에서 시작된 계절의 꿈이 끝에 이르는 날이다. 더 강한 햇살이 내리고 세상의 잎들은 더 푸르게 깊어져도 하루하루 해는 짧아지고 계절은 또 동지를 향한 반년의 여정을 시작한다. 오늘을 사랑한다.

사랑하는 6월이 다하고 있다. 어제 새벽에 내린 비에 냇물이 불어났다. 흐르는 물은 풀숲에서도 길을 찾아 풀잎과 풀잎 사이를 채운다. 아래로 흘러가는 것들과 함께 세상의 아침이 열리고 나는 물이 흐르는 방향으로 둑길을 걸었다. 아내와 나누는 새로울 것 없는 이야기를 따라 바람이 지나갔다.

생의 절정의 순간에 삶의 비애는 일정한 지분을 갖고 자리를 잡는다. 절정은 늘 위험한 순간이다. 삶이 영원하지 않듯이 어떤 절정도 마침내 무너진다. 7월의 숲에서 이미 여름 아닌 것이 스며 있다는 느낌을 받았다. 숲은 무성하였으나 더 이상 깊어가는 것을 멈춘 것으로 보였다. 천천히 돌아왔다.

새벽에 눈치채기 어려운 한 줄기 찬바람이 불 때 가을이 시작되는 것은 아니다. 내리는 햇볕에 조금 낯선 기미가 보여서 가을을 말하는 것은 더욱 아니다. 세상 어디에도 여름은 무성하고 불면의 밤이 이어지는 견디기 힘든 시간에 가을이라는 가슴 설레는 꿈을 꾼다. 꿈을 꾸는 날, 오늘은 입추다.

열에 들떠 섬진강을 보러 갔다. 9월이 가을을 만들어 혼자서 깊어갈 때 강물은 세상의 슬픔을 하나도 감추지 않고 물결을 만들며 흘렀다. 간간이 부는 바람이 강물에 흔적을 남기면 강가의 억새가 몸을 흔들었다. 그리움 없는 마음이 가을을 만나고 나는 정처 없어서 다만 강물을 따라 흐르고 싶었다.

가을 위로 비가 내린다. 늘 그랬듯이 비는 단풍이 깊어가는 나뭇잎을 적시고 정원의 소나무에도 내린다. 나는 비를 맞고 있지 않지만, 젖어가는 마음은 마찬가지여서 어느새 가을비에 마음을 내려놓았다. 책을 읽을 수 없는 날이 계속되고 있다. 늦은 나이에 새로운 삶을 시작하는 사람들의 이야기가 미담으로 떠도는 세상에서 나는 더 이상 무엇도 배우고 싶은 마음이 없다. 책을 정리하며 나는 그 세계를 떠났다. 나는 그저 살아 있는 것이다.

바람의 끝에서 가을이 비와 섞였다. 비가 내리는 11월 밤에는 그리움도 쓸쓸하여 나는 오래도록 어두운 곳에 내리는 가을비를 바라보았다. 소리를 낮추며 내리는 비는 봄비를 닮았지만, 이제는 무엇도 깨우지 못하고 다만 지고 있는 낙엽을 적신다. 나는 세상이 젖어가는 시간에 아직 젖지 못한 마음을 어둠 앞에 살며시 내려놓으며 늦도록 잠들지 못할 것이다. 11월에는 쓸쓸해야 한다. 오늘 밤이 11월에 가장 어울린다.

아무도 없는 일요일의 경비실에 밤이 찾아왔다. 오랜만에 어둠을 맞이하는 사람처럼 한참이나 어둠이 내린 세상을 바라봤다. 건물 주위를 돌아보는 순찰길에서 내가 만난 것은 이미 바뀐 계절이었다. 겨울이면 늘 막막했다. 전화가 없던 산골에서 겨울의 어둠은 완전한 단절을 의미했고 나는 아침에 대한 기약이 없는 밤을 보내곤 했다. 마루를 타고 오르던 겨울밤의 눈보라가 문풍지를 흔들면 외로웠다. 그런 생각이 들어서 아내에게 날이 춥다고 전화를 했다.

계절

12월의 봄날에 냉이를 캐러 갔다. 시골에서 태어나 평생을 흙과 일정한 관계를 유지하며 살았어도 다른 풀과 냉이를 구별하지 못한다. 아내의 구박에 가까운 교육을 받고 냉이를 캤다. 뿌리까지 캐야 한다는 가르침을 따라 마음의 봄을 흙 속에서 꺼냈다. 나물을 만나는 손맛을 더 느껴야 한다는 아내를 졸라 일을 마치고 본가 수돗가에서 씻고 다듬어 저녁 식탁에 냉이 잔치를 열었다. 섬진강 강가를 지나 돌아오며 한참을 강가에 서 있었다.

비가 내렸다. 비에 젖은 나무에서 새싹이 돋아날 것 같은 착각에 잠깐 마음이 설렜다. 겨울에 내리는 비는 매서운 추위를 부른다는 것을 알고 있으면서도 마음은 오늘이 봄날이기를 바랐다. 삶이 항상 혹독한 것은 아니다. 아무것도 바뀌지 않았고 슬픔이 일정한 자리를 차지하고 있어도 오늘은 마음으로 봄을 그렸다. 이제 막 겨울이 시작되었고 봄은 아득한 곳에 머물고 있지만 오늘은 일부러라도 봄을 믿고 싶었다. 그래서 슈베르트를 듣는다.

밤의 세상에 눈이 내린다. 나는 이따금 밖에 나가서 바람에 흔들리며 쌓이는 어둠과 그 위에 내리는 눈에 마음을 맡긴다. 고적한 밤의 공기가 나를 감싸면 누구에게 소식을 전하고 싶다가도 지금 이 순간의 차갑고 맑은 쓸쓸함에 금이 갈까봐 한 사람의 이름을 조용히 내려놓는다. 하루 종일 식은 커피를 마시며 책을 읽었다. 그것이 눈이 내리는 날에 대한 예의였고 살아 있다는 유일한 확인이었다. 이제 FM의 음악이 이끄는 밤을 따라간다.

동짓달 긴긴밤의 절정이어서 밤의 이야기에 귀를 기울인다. 잠들 때 걱정이 없는 사람이 행복한 사람이라는 이야기를 많이 한다. 나에게 그런 행복은 어려운 것으로 여겨지지만 생각 없이 잠드는 법은 알고 있다. 예전에는 불면으로 힘겨웠지만 지금은 마음의 단순함을 익혀 눈을 감으면 잠의 세계로 향한다. 트위터의 현인들이 삶을 행복과 불행으로 나누지 말고 삶이 반드시 행복해야 한다는 생각에서 벗어나야 한다는 가르침을 줬다. 나는 2023년에 새로운 삶을 배웠다.

새벽에 일어나 눈의 세상을 만났다. 눈이 쌓이기 시작하는 새벽을 아내와 함께 걸었다. 눈은 고요를 덮다 아내의 우산 위에 내렸다. 길에 첫 발자국을 남기며 서로 마주 보고 웃었다. 출근하는 길에도 눈은 쌓이고 그것은 슬픔처럼 아득해서 끝이 없어 보였다. 커피를 마시며 음악을 듣는 지금 세상에는 대설주의보가 발효되었다. 눈이 길을 막아 당신에 이르는 길이 막막했던 겨울로 다시는 돌아가지 못한다. 모든 삶은 지나며 그리움을 만든다. 오늘도 그럴 것이다.

젖어 있는 길을 따라 출근했다. 아직은 봄이 아니라는 것은 누구나 알고 있지만 비는 봄비처럼 내렸고, 막연히 봄을 그리는 아침에 나는 편의점 커피를 마신다. 세상으로부터 멀어질 수 없지만 이 짧은 순간의 여유는 나에게 피안의 세계다. 주말에 근무를 시작하며 트위터에 글을 쓸 때 세상은 나에게 아주 작은 마음의 여유를 선물한다. 이 순간의 위안을 늘 그리워한다.

1월의 마지막 밤에 봄이라는 꿈을 꾼다. 하동이나 광양의 매화꽃 소식을 기다리다 2월 말이면 강의 하구로 꽃마중을 나가던 시절이 있었다. 섬진강을 따라 올라오는 꽃길에는 선암사 돌담에 매화가 피어나고 이어서 화엄사 홍매화가 만발했다. 다무락 마을이라는 예쁜 이름에도 매화는 꽃을 피웠다. 언제나 꽃 같은 당신과 섬진강 강가 매화꽃에 이어 벚꽃 맞이를 하는 꿈으로 2월 앞에 선다.

이른 아침에 촉촉하게 젖은 나무를 지나 출근했다. 젖어 있는 나무는 어떤 움직임도 없어 보였지만, 이미 봄을 향한 그리움이 자라고 있을 것이다. 많은 시작은 미처 눈치채지 못하는 사이에 꿈을 키우고 있는 것이다. 나무가 그리움을 키우고 있듯이 입춘의 아침에 사소한 일상과 한 잔의 커피에 기다림을 담는다. 살아야 하는 아침이고 더구나 오늘은 입춘이다.

한동안 깊은 잠을 자기도 했지만, 삶의 시계는 또다시 뒤척이는 밤을 만들고 지난밤은 거의 뜬눈으로 지났다. 나에게는 오늘에 대한 대책이 없다. 어둠과 씨름하며 지금은 아무것도 할 수 없다고 쓴다. 입춘의 새벽에 봄을 기다리는 마음을 쓰고 싶었지만, 이 새벽은 그것을 허락하지 않는다. 그렇지만 내가 쓰지 않아도 오늘은 입춘이고 머지않아 봄의 기운으로 설레는 날이 올 것이다. 그런 날이 오기를 바란다.

비가 내리는 밤을 지킨다. 폭설 없이 지나는 겨울은 애절하지 않은 사랑을 닮았다. 세상의 사랑 이야기는 다 공식적이다. 쓸 수 있는 사랑만을 쓴다. 삶에는 햇빛이 비치지 못하는 그늘이 있고 끝내 그런 이야기는 그늘에 머문다. 작가의 상상력이나 경험의 세계에 기대는 이야기는 늘 작고 아름답다. 봄을 마주하는 밤에 쓸 수 없는 사랑을 생각한다.

순천 선암사 돌담의 홍매화가 얼마나 봄을 향한 꿈을 키우고 있는가 보러 갔다. 꽃은 피지 않았으나 10년도 훨씬 지나 찾은 꿈은 충분히 다정하고 감미로웠다. 섬진강 매화는 흐린 하늘 아래서도 강물에 향기를 담그며 피어나고 있었다. 남원 혼불 문학관에서 만난 최명희의 편지 앞에서 오래 서 있었다. 오랜만에 찾은 모든 풍경은 익숙했고 아내와 꿈 같은 꿈을 나누며 섬진강을 따라 천천히 돌아왔다.

8

후일담

새로운 꽃이 뒤를 잇는 새벽에

나무는 잎을 키운다.

●

바람이 없어도 꽃은 지고

또 새로운 꽃이 뒤를 잇는 새벽에

나무는 잎을 키운다.

나는 더 이상 자랄 수 없고

새로운 세계의 문을 열지도 못한다.

다만 새벽에 깨어 불빛에

몸을 드러내는 나무와 꽃을 바라볼 뿐이다.

모든 삶이 안정되어 걱정 없다는 사람에게 내 슬픔을 말하지 않는다. 가족이 건강해서 축복받았다고 말하는 사람에게 누군가 아프다고 말할 수 없다. 타인의 불행을 전하는 사람의 약간은 들뜬 목소리를 듣는다. 내가 슬픔을 말하면 또 그렇게 옮길 것이다. 가까운 사람들의 이야깃거리가 되고 싶지 않다. 마음은 모르는 사람에게 여는 것이다.

새벽 4시 40분에 일어나 샤워를 하고 순찰을 돌았다. 얇은 바지를 입었더니 새벽 냉기가 마음까지 스며들었다. 그것은 기분 좋은 차가움이었다. 식어버린 도시락을 먹고 경비실을 청소했으니 하루 근무가 끝난 것이다. 세상의 일에는 시작과 끝이 있다. 내 슬픔은 시작이 있었으나 끝을 알 수 없다. 오늘은 찬바람에 흔들리는 나무 앞에서 나도 하염없이 흔들리며 슬픔에 규칙을 만들고 싶다.

대화에는 수준이 있어야 한다고 믿던 시절이 있었다. 지금도 호불호가 있지만 사람에게는 특유의 감각이 있다는 것에 더 마음이 쏠린다. 많이 읽지 않았어도 글과 세상을 읽어내는 타고난 눈이 있는 사람이 있다. 많이 읽고 가르친 경험도 풍부하지만 지식이 암기 사항에 머무르는 사람도 있다. 내가 읽었던 국내 저자들 중에는 확장성 없는 지식을 암기하고 있는 사람들이 많았다. 일찍 그들과 결별했다는 것이 역설적으로 내 독서의 성과였다. 세상을 왜곡하는 지식은 또 얼마나 많은가를 생각한다.

세상에서 중요한 것들을 늦게 깨닫는다. 언제나 깨달음은 소중하지만, 늦은 것은 늦은 것이다. 세상이 넓은 것이라 믿고 무엇을 찾아 헤매며 살았지만 결국 내가 머무는 곳은 아내의 마음이다. 가슴 쓸쓸한 저녁에 아내와 나누는 대화가 오늘 내가 세상과 나누는 유일한 만남이 된다. 내가 바라보는 세상을 이해하는 사람이 늘 내 곁에 있었다. 나는 책을 읽었고 아내는 나를 읽으며 나를 깊이 이해하고 있었던 것이다.

열흘이 넘도록 음악을 듣지 않았다. 음악은 나와는 다른 세계에 자리 잡고 있는 것으로 여겨 차마 들을 엄두가 나지 않았다. 음악은 슬픔을 위로 하지 못했다. 나는 깊은 절망을 마주할 때 어떤 소리도 듣지 않았다. 오직 고요와 침묵 위에 오래 앉아 있었다.

오늘 오후와 저녁이 만나는 시간에 말러를 들었다. 그것은 너무도 생생한 세계여서 눈물이 조금 고였다. 오랜만에 듣는 말러 2번은 세상이 아름다운 것인지도 모른다는 서투른 기대와 맨 처음 콘서트홀에서 말러를 감상하던 순간의 경이를 불러낸다. 누구도 나를 부르지 않는 한적한 세상에서 나는 말러를 통해 영원을 생각한다. 나는 오늘의 말러를 뛰어넘는 간절함을 알지 못한다. 지금 인간을 향하여 깊어가는 음악을 들으며 나는 내 슬픔을 밤의 어둠에 기대어 놓는다.

내가 트위터에 쓴 글을 나를 아는 사람이 읽지 않기를 바란다. 그들이 읽는 슬픔이라는 단어가 많은 상상력을 동원하여 나를 세상에서 가장 불행한 사람으로 만들 것이다. 나를 아는 사람이 트위터를 읽을 것이라는 생각을 하면 그나마 열었던 마음도 닫게 될 것이다. 나는 극복 없는 슬픔을 안고 정신의 아름다움을 꿈꾼다. 행복해서 세상이 아름답다면 그것은 내가 그리는 세상과는 관계가 없다.

새벽에 내가 만나는 것은 언제나 어둠이다. 어쩌면 나는 이 어둠의 끝을 볼 수 없을 것이다. 새벽과 아침이 이어지고 마침내 해가 뜰 것이라는 기대를 간직하지 못하는 새벽은 난감하다. 아무런 계획도 없이 시작되는 하루 앞에서 모든 것들은 희미하고 사소하다. 내가 살아온 시간은 늘 이렇게 애매모호한 것이었다. 그래도 누군가 삶의 쓸쓸함을 안은 채 깨어 있으리라는 기대에 희망 없는 새벽을 쓴다. 어제도 특별한 이유가 있었던 날은 아니었다. 오늘도 그럴 것이다.

눈의 나라에 다녀왔다. 트위터에 올라오는 무주 설천봉의 영상 사진을 보며 얼마나 행복한 사람들이 저기에 오는 것일까 생각했다. 나는 저 풍경 위에 설 수 없을 것이라고 믿었는데 오늘 거기에 갔다. 행복한 시간에 갈 수 있다면 평생 가지 못할 것이다. 나는 아내와 함께 있으면 소년이 된다. 우리는 서로에게 설레는 사람으로 끝없이 이야기를 만들어간다. 여행은 아내와 함께 있을 때 쓰는 말이다. 우리는 언제나 오늘을 살아간다.

새벽 6시 28분에 편의점에서 커피를 사서 한 모금을 마셨다. 그것은 미명의 새벽과 어울렸고 이미 아침이 스며든 가로등 불빛과도 조화를 이루어 적당히 쓸쓸했으며 어느 정도는 영하의 기온을 위해 존재하는 맛이었다. 이제 경비실 청소를 마치고 마지막 온기를 지탱하고 있는 커피를 마신다. 때로는 삶이 눈물겨울 때가 있다. 나는 지금 마시는 커피가 내가 오늘 받을 수 있는 위로의 모든 것임을 알고 있다. 혼자서 울어도 좋은 이른 아침이다.

봄은 남도의 매화와 산수유가 피어나면서 시작된다. 나에게 봄은 당신과 나누는 이야기에서 꽃을 피운다. 봄 마중을 나갔다. 섬진강 강가 만개한 매화꽃 아래서 내가 느낀 것은 설움이었다. 왜 아름다움과 슬픔은 함께 오는 것인가. 강가에 서서 물을 따라 흘러가는 당신과 나의 시간을 생각했다. 지리산 아래 노란 산수유 꽃길을 걸으며 영원에 속해 있다고 믿는 사랑을 이야기했다. 세상을 힘들게 살아가는 사람에게 세상의 꽃이 위안이 되기를 간절히 빌고 또 빌었다.

아무리 아름다운 풍경도 구경하는 사람이 많이 있어야 빛이 난다는 것이 어머니의 말씀이었다. 한가한 평일에 여행을 가면 재미가 덜하고 붐비는 주말에 가야 흥이 난다고 하셨다. 세상 구경은 사람과 부대끼는 것이고 대화가 없이도 같은 풍경 아래서 느끼는 동질감이 중요한 부분을 차지한다. 나이 들어 직장에 출근한다는 것은 사람들과 공식적인 관계를 맺고 만남을 이어가는 과정을 말한다. 어디에 있어도 사람을 바라보고 살아가야 하는 것이다.

하루의 대부분을 아내와 보낸다. 점심을 먹으러 나가고 식사 후에는 가까운 곳을 걷거나 카페에 들르기도 한다. 마트에 가거나 손주를 보러 갈 때도 언제나 같이 간다. 사랑은 늘 새롭게 시작하는 마음이어서 오늘 처음 듣는 이야기처럼 당신의 말 한마디에 열중한다. 사랑에는 화제의 빈곤이 없다. 세상은 그렇게 넓은 곳이 아니다. 사랑하는 사람을 바라보는 순간이 세상의 모든 것이라는 믿음을 오늘도 간직한다.

오늘도 경비실에서 황혼과 저녁의 시간을 보내며 하루 일과를 마친 사람들의 보람을 바라본다. 저 끝없는 반복이 살아 있는 것이고 때로는 지겨운 일상을 계속하는 힘이 되기도 한다. 날마다 새로울 수 없는 삶에서 또 하루의 밤을 맞이한다. 나는 늦게까지 깨어 있으며 세상이 고요를 향하는 시간을 지켜볼 것이다. 이렇게 살아 있는 것이다. 특별하지 않은 오늘과 아무런 희망이 없을 거라고 믿는 내일도 나는 또 그저 살아 있을 것이다.

바흐를 듣는다. 음악을 들으며 내가 느끼는 감정은 울고 싶다는 것이다. 언어로 설명하지 못하고 글로 쓸 수 없는 마음의 세계를 온전하게 들려주는 음악이 있다. 바흐의 피아노 음악은 마음의 구석구석에 자리한 슬픔을 쓰다듬는다. 그것은 슬픔을 위로하는 이해와 사랑이 있을 때 가능한 것이고 바흐의 위로는 잔잔하고 따뜻하여 내 오후를 온전히 바흐에 바친다.

마라톤 풀코스를 달린다는 것은 자신에게 성실해야 하는 일이다. 마라톤 풀코스를 4시간 30분 안에 달리면 기본은 한 것이고 3시간 30분이면 잘 달리는 기록으로 생각했다. 나는 수십 회 완주하면서 첫 번째를 제외하고는 거의 3시간 30분 안에 완주했다. 그러기 위해서는 한 달에 300km 정도를 연습했다. 연속 4주를 대회에 나가 달리기도 했고 1년에 11회의 완주 기록도 있다. 나와 비슷한 시기에 마라톤을 했던 많은 사람들이 무릎 수술을 받았지만 나는 지금도 싱싱한 상태로 오전에 두 번 지리산 천왕봉을 오르는 사람으로 남았고 그때의 체중을 유지한다. 마라톤은 완주라는 이벤트가 아니라 끝없이 자신을 다스리고 깊어가는 정신 활동이라고 믿는다. 무한히 자유로운 세계가 길 위에 있었고 길을 달릴 때 나는 행복했다.

오늘 아내의 생일에 아버지를 생각한다. 아버지는 내가 질서 없이 흔들리며 살아갈 때 세상에서 너와 살 수 있는 사람은 네 아내가 유일하니 정신 차리고 아내에게 잘하라며 나를 꾸짖으셨다. 아버지는 아들이 누구인지 가장 잘 알고 계셨다. 나는 세월을 따라 생각 없이 흘러왔다. 그나마 아내 덕분에 이렇게라도 버티고 있다.

사랑에 관한 책을 읽고 시를 외우며 사랑을 꿈꾸듯이 오늘도 나는 아침의 커피를 마시며 슬픈 사랑과 만난다. 세상에는 슬픈 행복도 있는 것이다. 내 하루의 성공은 다섯 시간을 깨지 않고 연속해서 자는 것이고 그런 아침에 한 잔의 커피를 마시는 것은 성공의 완성을 의미하지만, 오늘 내가 누릴 수 있는 행복이 다했다는 뜻이기도 하다. 막막한 아침이다.

FM 명연주 명음반에서 레너드 번스타인과 빈필의 말러 5번
을 듣는다. 나는 카라얀보다는 번스타인에 기울어 있는 사람
이다. 그에게는 상상력의 자유가 넘친다. 특히 말러는 번스
타인에 의해 대중에게 더 가까워졌고 말러가 화려하게 부활
하여 자주 연주되는 시작의 문을 열었던 사람도 그였다. 그
리고 아바도가 루체른에서 말러를 확고부동한 것으로 만들
었다. 저 유장하며 아득한 슬픔은 다른 세계의 것이다. 나는
말러를 들으며 정신이 정화되는 느낌을 경험한다.

세상이 꽃소식으로 가득할 때 아무런 관심도 받지 못한 풀
들이 여린 잎을 키우며 봄을 덮어가고 있었다. 내가 그들의
이름을 기억하지 못한 것이 문제일 뿐 잡초라는 풀은 없다.
봄은 꽃이 피어나는 것으로 완성되는 것이 아니다. 꽃밭의
바탕에는 수많은 움직임이 무성한 꿈을 키운다. 바람이 거
센 저녁에 그들에게 마음을 준다.

결혼을 앞둔 직원이 다른 곳에서 근무하는 내게 넥타이를 선물한 적이 있다. 결혼식 날 아버지가 맬 넥타이를 사면서 함께 샀어요. 신규 직원이 입사하면 아버지께서 많이 기쁘시겠다는 이야기로 축하의 인사를 했다. 그리고 거래하는 문방구에 가서 전자계산기와 업무 수첩을 구입해줬다. 세월이 흘렀고 그 직원도 40대 중반이 되었을 것이다. 궁금하지만 흘러간 사람은 전화하지 않는다.

오늘이나 내일에 대한 기대 없이 하루를 보낸다. 살아 있다는 것은 희망이 있다는 뜻이 아니라 세상의 슬픔을 감당해야 한다는 뜻이다. 세상에는 시간이 해결해 주는 문제와 어제가 더 다행스런 날이었다는 삶이 있다. 시간의 혜택이 없는 삶을 살아간다. 늘 어제가 더 나았다. 내일은 어쩔 것인가.

유일한 삶의 규칙은 출근이다. 출근이라는 경계가 없다면 나는 일상에 아무런 정지선도 없이 서성이다 이미 무너졌을 것이다. 기준 없는 삶은 어둠을 향하여 해가 지기를 기다린다. 어둠이 하루를 덮지 못하지만 새로운 슬픔을 만들지 않을 것이라는 기대는 가능한 것이다. 나는 극복을 믿지 않는다.

마라톤을 할 때 고통스런 시간과 만난다. 아무런 보상도 주어지지 않는 무모한 반복이 도대체 무슨 의미가 있다는 말인가. 이제 다시 고통에 몸을 맡기는 일은 없을 것이라는 다짐을 한다. 그리고 돌아서면 또 달렸다. 지독한 통증이 없었다면 달리지 않았을 것이다. 고통에 대한 그리움으로 달렸다. 그것이 내가 살아가는 방식이다.

친구가 아내와 멀었던 마음을 대화로 극복하고 행복한 시간을 보내고 있다는 소식을 전해왔다. 내 마음도 덩달아 부드러워진다. 오래 살다 보면 감동 없는 마음을 당연한 듯 받아들이지만, 부부는 사랑으로 살아가는 관계다. 함께 지나온 세월에 마음을 더하면 사랑이 된다. 축하 글을 보낼 예정이다.

피아니스트 마우리치오 폴리니가 세상을 떠났다. 한 시대를 풍미했다는 표현에 어울리는 연주자로서 쇼팽에 뛰어났으며 어느 곡에서나 그의 연주는 신뢰할 수 있는 기준이 되었다. 같은 이탈리아인이었던 아바도와 함께 루체른에서 공연하던 모습이 눈에 선하다. FM에서 그의 연주로 베토벤을 듣는다.

점심 식사를 하는 식당 창가 너머로 살구꽃이 비에 젖어가고 있었다. 아내는 기운이 없다며 천천히 식사를 했고 내 이야기에 가끔씩 희미하게 웃었다. 비가 내려 더 확실해진 봄은 그리운 시간의 굽이를 돌아가고 있었고 우리는 사랑이 가리키는 방향을 따라 서로를 바라보았다. 고맙고 따뜻했다.

아버지는 시장에서 물건을 살 때 흥정을 하지 않고 부르는 대로 주셨다. 손주들이 먹을 과일이나 생선은 무조건 가장 비싼 것을 사셨고 어머니의 잔소리에도 변함이 없으셨다. 나도 손주가 먹을 딸기를 살 때면 가장 비싼 것을 산다. 오늘 딸기를 사는데 아버지가 떠올라 지금까지 마음으로 울고 있다.

브룬펠시아꽃이 피었다. 아내의 생일 선물로 구입했는데 20년이 머지않았다. 당신의 이름에 어울리고 당신의 향기를 닮아 내 마음에 가득하기를 바라는 마음으로 자리를 잡은 화분은 시간을 넘어 새로운 꽃을 피운다. 사랑은 끝없이 새롭게 그리운 것이다. 당신은 사랑에 가장 어울리는 사람이다.

독서의 출발은 소설을 읽고 시를 외우는 것이라는 생각을 한다. 짧은 글이나마 트위터에 글을 쓰면서 그런 생각에 확신을 더하게 된다. 소설은 많은 사람들의 삶을 설명하고 시는 세상의 아름다움을 보여준다. 내가 쓰는 언어는 결국 그곳에서 시작된 것이었고 내가 만든 새로움은 없었다는 뜻이다.

아파트에서 현재 근무하는 곳으로 옮기고 내가 꼭 지키는 것이 있다. 잠자기 전에, 새벽에 일어나 샤워를 한다. 엘리베이터가 아닌 계단을 이용한다. 고객을 가르치지 않는다. 업무와 관련된 불만을 말하거나 쓰지 않는다. 누구에게 나를 설명하지 않는다. 나이가 들어가면 입을 닫아야 하는 것이다.

조슈아 벨의 소니 전집을 구입한 것은 순전히 그가 연주하는 차이코프스키 바이올린 협주곡을 듣기 위해서였다. 2악장의 멜랑콜리 악장은 드보르작의 신세계 2악장, 베토벤 교향곡 7번의 2악장, 말러 5번의 아다지에토 악장과는 다르게 구원이 요원한 대륙의 슬픔이 묻어난다. 그것은 도스토예프스키나 톨스토이, 투르게네프를 읽으며 느꼈던 거대한 인간의 드라마를 설명하는 속삭임처럼 들린다. 비극의 냄새를 풍길 때 음악은 더 깊어지고 조슈아 벨은 그 비극의 징조를 오히려 아름답게 들려준다.

나는 아무 음식이나 잘 먹는다. 특히 아내가 선택한 메뉴에는 이의를 제기하지 않는다. 아내는 외식할 때 음식의 선택에 까다롭고 평가에도 인색하다. 아내가 전주에는 먹을 게 없다는 말을 했다. 내일은 어디를 가야 할까. 호남은 웬만큼 다녀봤다고 생각한다. 담양은 어떠냐고 여쭸더니 알아보란다. 친구들에게 전화해서 담양의 식당 몇 곳을 추천받았다. 아내와 함께 있으면 재미있는 이야기를 공급하고 맛있는 음식을 선정해서 아내를 기쁘게 하는 것이 내 행복이다.

나는 경비원이다. 내 생활은 근무를 기준으로 움직이고 밖에서 아내와 보내는 특별한 시간들은 여기서 얻은 수입이 바탕이 되는 경우가 많다. 일요일의 경비실에서 고요를 만나기도 하고 운명 같은 슬픔을 달래기도 한다. 가끔은 아내에게 전화해서 보고 싶다고 말한다. 오늘 그런 일요일을 시작한다.

FM에서 슈베르트 죽음과 소녀를 들으며 울고 있다. 그는 진정으로 슬펐던 사람이다. 그래서 그의 음악 어디에서도 만들어지지 않은 원래의 슬픔이 묻어난다. 내가 1년에 한 번도 찾아 듣지 않은 음악인데 이렇게도 마음을 흔든다. 천재란 슬픔의 코드를 읽는 사람이다. 나는 그의 슬픔에 아침을 바친다.

구례로 벚꽃 구경을 갔다. 인터체인지를 벗어나자, 천지에 꽃의 세상이 펼쳐지고 있었다. 아내는 탄성을 질렀고 꽃길은 섬진강을 따라 이어졌다. 바람이 불면 꽃잎이 날렸다. 강 건넛산에는 연초록이 시작되고 사랑은 봄의 모든 풍경 위에 있었다. 아내는 꽃 멀미가 난다고 했고 그마저도 즐거움이었다.

밤을 채우며 비가 내렸고 나는 끝없이 뒤척이며 잠을 이루지
못했다. 꽃이 지고 있었다. 꽃이 지는 밤에 내 마음도 들떠서
오래도록 봄밤의 빗소리를 들었다. 근무를 마치고 돌아온 방
에서도 마음을 흔드는 봄의 사연에 잠을 이루지 못한다. 봄
에는 설렌다. 인간의 슬픔은 마음이 늙지 않는 데 있다.

적막과 어둠을 감당하기 어려워 시골 본가에서 밤을 보내지
않는다. 전원에 대한 꿈보다는 사람 소리를 들으며 살아야
한다는 생각이 있다. 출근해서 근무하는 직원들을 바라보는
것으로 세상과 소통한다. 대화 없이 인사를 나누는 단순한
행동이 많은 이야기를 전해준다. 오늘도 그런 밤을 보낸다.

삶이 한없이 초라해질 때가 있다. 일상에 감사하다고 믿으려 노력하면서도 어쩌다 여기까지 왔는가 스스로에게 묻는다. 내가 선택한 삶은 차선이 아니라 최악인 경우가 많았다. 그래도 삶을 붙들고 견디지만, 어떤 순간에는 아주 작은 자극에도 초라해지는 자신을 마주한다. 오늘도 물러설 곳이 없다.

모차르트의 슬픔은 맑은 것이다. 그것은 비통에 젖은 눈물이 아니라 적당한 햇살과 부드러운 바람 앞에서 스며드는 슬픔을 어쩌지 못해 흘리는 눈물이다. 맑디맑은 슬픔에 아름다움을 더하면 모차르트의 음악이 되는 것임을 클라리넷 협주곡에서 확인한다. 자비네 마이어의 연주에 내 밤이 담긴다.

오늘 다시 커피를 마시기로 했다. 위가 어떻게 반응할까 염려보다는 커피를 만나는 순간 마음에 다가오는 만족과 짧은 행복을 선택했다. 안정과는 거리가 먼 삶을 살아가며 많은 것을 포기하고 세상에 애써 눈을 감기도 한다. 어쩌면 나는 누구에게도 마음을 열지 않고 살아가는 사람이다. 그렇게 사는 것이라고 세상으로부터 배웠다. 토요일 아침의 경비실에는 FM에서 슈만 교향곡 1번 봄이 흐르고 나는 영원히 오지 않을 내 인생의 봄을 그리며 커피를 마신다. 어쨌든 찬란한 봄이다.

오늘 FM에서 비제의 카르멘에 나오는 투우사의 노래를 바리톤 호세 판 담의 노래로 듣고 파가니니 카프리스 2번을 진정한 비르트오소 루지에로 리치의 바이올린 연주로 들으며 다시 내 꿈을 확인한다. 언제인가 빈슈타츠오퍼에서 엘리나 가랑차가 주연으로 출연하는 카르멘을 감상하는 것이다. 꼭 빈슈타츠오퍼여야 한다. 그가 그곳에서 출연했던 카르멘을 영상으로 수없이 감상하며 그런 소망을 키웠다. 이루기 어려운 소망일 것이다. 그가 다시 거기에서 카르멘을 한다는 것과 그날이 언제일지도.

새벽과 만났다. 나는 저 어둠에 다시는 잠을 이룰 수 없는 내 마음을 담는다. 바람이 없어도 꽃은 지고 또 새로운 꽃이 뒤를 잇는 새벽에 나무는 잎을 키운다. 나는 더 이상 자랄 수 없고 새로운 세계의 문을 열지도 못한다. 다만 새벽에 깨어 불빛에 몸을 드러내는 나무와 꽃을 바라볼 뿐이다. 삶의 눈물겨움이 새벽의 탓은 아니다. 그것은 전적으로 깨어 있는 사람의 책임이다.

클래식 음악을 듣는 이유를 묻는다면 적어도 오늘만은 안나레트렙코가 부른 프란츠 레하르의 오페라 쥬디타에 나오는 아리아 '뜨겁게 키스하는 내 입술'을 그 이유로 말할 수 있다. 많이 봤고 너무 아름다워 펑펑 울기도 했다. 저렇게 열심히 부른다. 그것이 아름다움이다.

본가 산에서 두릅을 따고 고사리를 꺾었다. 연둣빛 산 아래 보물 같은 고사리는 마른 풀숲을 헤치고 고개를 들고 있었고 두릅은 가시 위에 봄을 펼치고 있었다. 아버지를 생각했다. 아버지는 운명을 지게에 지고 험한 세상의 고비를 넘으셨다. 맨손으로 시작해서 아들이 봄을 보낼 놀이터를 물려주셨고 아들은 그 땅에서 가진 것 없는 마음에 봄을 채웠다. 그렇게 슬픈 봄날의 하루가 갔다.

나는 아내를 이기지 못한다. 분명히 아내가 잘못한 일이 있어도 이야기를 하다보면 본질은 사라지고 어느새 내가 잘못한 사람이 되어 있다. 산에서도 나는 아내의 뒷전이다. 아프고 기운이 없다던 아내는 산에서 고사리를 꺾는데 생기 있고 푸르렀다. 고사리 채취 대회가 있다면 아내는 분명히 상위 입상자에 이름을 올릴 것이라는 확신이 있다. 고사리를 삶았고 두릅은 나물이 되어 아침 식탁에 올랐다. 나는 아내를 통해 세상을 바라본다. 사랑은 한없이 좁은 것이다.

후일담

내가 애정하는 바이올리니스트 이자벨 파우스트의 모차르트 바이올린 소나타 21번이 FM을 흐른다. 오늘은 그리움을 말하는 날이다. 음악은 소리를 통해 하늘의 신을 부르기도 하지만 언제나 그리운 당신의 이름을 떠올리게도 한다. 글로 쓸 수 없고 말로써 옮길 수 없는 사랑으로 막막할 때 음악을 듣는다. 음악의 상상력은 모든 사랑을 담으며 당신께 하지 못해 아쉽던 이야기를 대신 들려준다. 음악은 사랑을 표현하는 것이고 그것은 결국 지나간 사랑 앞에서 멈춘다.

새벽의 시간은 빨리 흐른다. 어둠에서 일어나 샤워를 했다. 순찰을 돌고 밥을 먹고 아내에게 전화를 했다. 아내가 통화 마지막에 '수고해'라고 말하다가 '사랑해'로 끝낸다. 부부의 인사는 사랑이어야 한다는 평소 내 말이 떠올라 그랬을 것이다. 나는 특별하게 아내를 사랑하는 사람이 아니다. 다만 사랑 하나에 기대며 살아가고 그 사랑이 아내라는 그리움이다.

나오며

마흔의 입구에 서 있을 때 거창한 꿈을 꾸었다.

나는 여전히 술을 마시는 사람이었고 몸은 비대를 향해 가고 있었다. 마라톤 풀코스를 달리고 싶다는 결코 이룰 수 없는 소망은 당연하게도 꿈 그 자체였다. 쉬지 않고 먼 길을 달려 길의 마지막에 이르는 장면은 상상으로도 감격스러웠다.

나는 80년대 초의 엄혹한 군대에서도 구보를 포기했던 사람이다. 군대에서 안 되면 안 되는 것이라고 알고 있었다.

그래도 반바지를 입고 달렸다. 운동장 400m 트랙 열 바퀴를 쉬지 않고 달리는 데 3개월이 걸렸다. 나는 그때 러너스 하이를 경험했다. 상당한 마라톤 고수들이 경험하는 무아의 경지를 일찍 맛보았다.

단 한 번 하프를 달리고 나서 풀코스를 완주했다. 4시간 18분이었고 두 번째는 서울 중앙 마라톤에서 3시간 23분의 기록으로 달렸다. 마라톤을 하며 지리산에 오르기 시작했고 동네 뒷산을 오르듯이 지리산에 있었다.

내가 그나마 삶을 망치지 않은 마지막 구원이 길과 산에 있었다. 나는 내가 달리고 빠르게 산을 오를 수 있으리라고는 상상하지도 못하고 살았는데 그것이 가능했다. 지금은 불가능한 이야기지만 2000년대 초반에 폭설이 내려 입산이 통제된 지리산을 밤에 오르며 여기서 죽어도 좋다는 유혹을 느끼기도 했다.

세상에는 중요하지 않은 일에 많은 것을 바치는 사람이 있다.

나는 사람들이 앞서가고 성공을 향해 노력하는 시간에 길을 달리고 산을 오르는 일에 많은 것을 걸며 살았다. 어쩌면 세상의 경쟁으로부터 도피하는 나만의 방식이었는지도 모른다. 그래도 내가 자신을 향하여 충실했던 시간이라고 믿는다. 트위터에 글을 쓰며 40대 때의 마라톤과 지리산이 지금의 내게는 트위터인가 생각했다.

사람은 앞으로만 가고 늘 발전만 하는 존재는 아닐 것이다. 이제는 더 이상 앞으로 나갈 꿈이 없는 세상에서 한 권의 책에 머무는 오늘을 담았다.

여기까지 읽어준 사람이 얼마나 있을까 그것이 걱정된다.

어떤 글은 짧지만 긴 이야기를 담고 있는 것도 있다.

헤아려 읽어주셨다면 더 이상의 고마움이 없다.

나는 가장 슬픈 순간에 사랑을 생각한다

초판 1쇄 발행 2024년 7월 12일
초판 3쇄 발행 2024년 8월 30일

지은이	새벽부터
기획	장동원 이상욱
책임편집	오윤근
디자인	VF84
제작	제이오엘앤피

펴낸곳	워터베어프레스
등록	2017년 3월 3일 제2017-000028호
주소	서울시 강서구 마곡서로 152 두산더랜드타워 B동 1101호
이메일	book@waterbearpress.com
ISBN	979-11-91484-25-0 03810